G. K. Chesterton

# LA SABIDURIA DEL PADRE BROWN

EDICIONES G.P.

Título original:
THE WISDOM OF FATHER BROWN

Traducción de
A. NADAL

Portada de
DOMINGO ALVAREZ


Virgen de Guadalupe, 21-33
Esplugas de Llobregat (Barcelona)

Depósito Legal: B. 21.187 - 1976
ISBN: 84-01-43527-7

Difundido por
PLAZA & JANES, S. A.
Esplugas de Llobregat: Virgen de Guadalupe, 21-33
Buenos Aires: Lambare, 893
México 5, D. F.: Amazonas, 44, 2.º piso
Bogotá: Carrera 8.a Núms. 17-41

LIBROS RENO son editados por
Ediciones G. P., Virgen de Guadalupe, 21-33
Esplugas de Llobregat (Barcelona)
e impresos por Gráficas Guada, S. A.,
Virgen de Guadalupe, 33
Esplugas de Llobregat (Barcelona) - ESPAÑA

# I

## LA AUSENCIA DE MR. COPA

Las salas de consulta del doctor Orion Hood, el eminente criminólogo y especialista en ciertos desórdenes morales, se extendían a lo largo de la costa de Scarboug, inundadas de luz por una serie de amplias vidrieras que recogían la visión del mar del Norte como la prolongación de un muro exterior de mármol azulino. En aquel paraje, el mar presentaba esa monotonía de las superficies lisas, que armonizaba con las habitaciones del establecimiento, sometidas a una terrible limpieza, que bien podía compararse a la terrible limpieza de los mares.

Pero no hay que suponer que los departamentos del doctor Hood excluyesen el lujo ni aun la poesía. Uno y otro estaban en su puesto, pero se adivinaba que no se les permitía salir de donde estaban. Había lujo: sobre una mesa especial estaban colocadas ocho o diez cajas de los mejores cigarros; pero obedeciendo a un plan, de modo que los más fuertes eran los más próximos a la pared y los más suaves los más cercanos a la ventana. En esta mesa de lujo nunca faltaba una bandeja con tres botellas de excelente licor, pero un espíritu observador podría afirmar que el whisky, el coñac y el ron siempre estarían al mismo nivel. Había poesía: en el ángulo de la izquierda se veía una colección de clásicos ingleses, mientras que a la derecha se alineaban los psicólogos ingleses y extranjeros; pero si se quitaba de allí un volumen de Chaucer o de Shelley, el hueco que dejaba producía un efecto irritante como el portillo en la dentadura de un hombre. No podía afirmarse que los libros nunca se leyeran. Seguramente se leían, pero daban la impresión de estar encadenados a los anaqueles, como las Biblias en las antiguas iglesias. El doctor Hood trataba su librería privada como si fuese una biblioteca pública. Y si con tal rigor se declaraban intangibles los anaqueles cargados de novelas y poesía y las mesas cargadas de bebidas y tabaco, no hay que decir el fervoroso celo con que se protegían los estantes que contenían la biblioteca de la especialidad y las otras mesas destinadas a guardar los frágiles y misteriosos instrumentos de química o de física.

El doctor Orion Hood se paseaba a lo largo de aquella hilera de dependencias que limitaban —como dicen las geografías infantiles— por el Este con el mar del Norte y por el Oeste con las compactas ringleras de libros sobre psicología y criminología. Vestía una artística bata de terciopelo, pero sin esa negligencia que se ha dado en llamar artística; sus cabellos empezaban a blanquear, pero se conservaban recios y abundosos: su rostro era flaco, pero lleno de vida y de salud. Tanto en su persona como en su habitación había un no sé qué de rigidez y al propio tiempo de inquietud; como en el gran mar Nórdico, ante el cual, por principio de higiene, había levantado su casa.

El destino, que estaba, sin duda, de buen humor, abrió de un empujón la puerta e introdujo en aquellas largas y severas salas que flanqueaban el mar, el tipo más sorprendente opuesto a ellas y a su dueño. Obedeciendo a un conciso, aunque cortés requerimiento, la puerta acabó de abrirse y se destacó vacilando en la habitación una figurita deforme que manejaba el paraguas y el sombrero como si trajese un fardo. El paraguas parecía un fardel de ropa negra y remendada; el sombrero era de anchas alas corvas, sombrero clerical, muy poco visto en Inglaterra, y el hombre era la encarnación de la misma vulgaridad y desamparo.

El doctor contempló al recién llegado con contenida sorpresa. Sin duda, no se hubiera quedado más perplejo si un monstruo marino de aquel tamaño y tan inofensivo se le hubiera introducido en su despacho. El recién llegado miró al doctor con ese aspecto radiante y agitado que caracteriza a una corpulenta campesina que ha logrado subir y acomodarse en un autómnibus, entre una confusa satisfacción moral y un desorden material. El sombrero le cayó por la alfombra, su pesada sombrilla resbaló entre sus piernas y cayó, produciendo un golpe sordo; el dueño de estas prendas se bajó a recogerlas gateando, mientras decía con una sonrisa inimitable:

—Me llamo Brown. Ya me perdonará usted, pero vengo por ese asunto de los MacNabs. Tengo entendido que, con frecuencia, saca usted a la gente de apuros. Perdone si estoy equivocado al respecto.

Al terminar su curiosa presentación, ya había recogido su sombrero, sobre el cual se inclinó ligeramente, como dando por acabado aquel episodio.

—Apenas comprendo lo que desea —replicó el hombre de ciencia, en tono de estudiada frialdad—. Temo que se haya equivocado de puerta. Soy el doctor Hood y me dedico a trabajos casi meramente literarios e instructivos. Cierto que a veces me ha consultado la Policía casos de verdadera dificultad e importancia, pero...

—¡Oh! Éste es importantísimo —atajó el hombrecito llamado Brown—, pues la madre se opone a sus relaciones —y se recostó en su asiento como si hubiera expuesto una razón de peso.

Las cejas del doctor Hood se abatieron en una expresión sombría, pero el brillo de sus ojos lo mismo podía ser de cólera que de regocijo.

—Pues aún sigo sin comprender —profirió.

—Digo que quieren casarse —explicó el del sombrero de teja—. Maggie MacNabs y el joven Todhunter quieren contraer matrimonio. ¿Cree usted que puede haber algo más importante?

Aunque los grandes éxitos científicos hubieran quitado a Orion Hood la salud, como decían unos, y a su Dios, como querían otros, no lo habían despojado del sentido del ridículo. Y al oír el último argumento del ingenuo sacerdote prorrumpió en una risita sorda, mientras se dejaba caer en un sillón, adoptando la actitud de un médico que se dispone a oír a un paciente.

—Míster Brown —dijo gravemente—, ya hace catorce años que no se me invita a examinar un problema personal. El último caso en que intervine fue el atentado de envenenamiento del Presidente francés en el banquete del Lord Mayor. Ahora se trata de saber, según entiendo, si una amiga de usted llamada Maggie es una novia conveniente para cierto amigo de ella llamado Todhunter. Perfectamente, Mr. Brown. Soy un aficionado a estas materias y me tomaré el asunto con el mayor interés. Daré a la familia MacNabs mi mejor consejo, tan bueno como el que di a la República francesa y al Rey de Inglaterra... no, mejor; catorce años y medio mejor. No tengo que hacer otra cosa en toda la noche. Cuénteme su historia.

El rechoncho clérigo, llamado Brown, le dio las gracias con arrebatado calor, pero aun con sencillez, como podría darlas una persona afectuosa en un café a quien le alargara una cerilla para encender el cigarro, y sin abrir apenas un paréntesis entre sus cordiales palabras de gratitud, empezó su relato.

—Ya le dije que me llamo Brown y no he de repetirlo. Soy el cura de la pequeña iglesia católica que probablemente habrá usted visto tras las calles que se dispersan por el norte de la ciudad. En la más apartada de estas calles que se extienden a lo largo de la costa como un muro del mar, vive un miembro de mi rebaño, una persona honestísima, aunque de genio muy vivo, una viuda llamada MacNabs. Tiene una hija y alquila habitaciones, y entre ella y la hija y entre ella y los realquilados..., bien, creo que habría mucho que decir por ambas partes. Actualmente no tiene más que un huésped, el joven Todhunter; pero éste ha dado más quehacer que todos los otros juntos, porque quiere casarse con la joven de la casa.

—¿Y la joven de la casa —preguntó el doctor Hood, que en el fondo se divertía enormemente— qué quiere?

—Pues quiere casarse con él —gritó el padre Brown, irguiéndose en la silla—. Eso es precisamente lo que complica este enojoso asunto.

—Es un tremendo enigma —advirtió el doctor.

—Ese joven, James Todhunter —continuó el clérigo—, es una persona decentísima, según tengo entendido; aunque nadie lo conoce a fondo. Es un muchacho listo, moreno, ágil como un mono, afeitado como un actor y obsequioso como un cicerone nato. Parece que tiene algún dinero, pero nadie conoce su oficio. La señora MacNabs, que es una pesimista, cree a pies juntillas que se trata de algo espantoso y relacionado probablemente con la dinamita. En todo caso, la dinamita debe de ser muy inofensiva y silenciosa, pues el pobre muchacho se limita a encerrarse durante varias horas en su aposento y se entrega a no sé qué estudios, a puerta cerrada. Declara que su secreto es algo transitorio y justificado y promete descubrirlo antes de la boda. Esto es cuanto se sabe de cierto, pero la señora MacNabs le dirá muchas otras cosas de las que también está segura. Ya sabe usted que los cuentos crecen como la hierba entre la gente ignorante. Se cuenta que se oye hablar a dos personas en el cuarto del mozo, y que cuando éste abre la puerta está siempre solo. Se habla de una persona misteriosa de gran estatura y que lleva chistera de seda, que en una ocasión salió de la niebla del mar y seguramente del agua, cruzó la playa y el huerto que hay detrás de la casa, a la hora del crepúsculo, y se le oyó hablar con el realquilado por la ventana, que estaba abierta. Parece que la conversación acabó en disputa. Todhunter cerró la ventana con violencia y el personaje de la chistera volvió a desaparecer en la niebla del mar. Éste es el relato al que se aferra la familia, aunque creo que la señora MacNabs prefiere su propia versión: el otro hombre (o lo que sea) sale cada noche del arca que hay arrimada a un ángulo y que todo el día está cerrada. Ya ve usted cómo la puerta cerrada de Todhunter se convierte en la puerta de todas las fantasías y estupideces de las *Mil y una noches*. Y, no obstante, el pobre muchacho se presenta siempre tan pulcro con su chaqueta negra y se conduce con la inocencia y puntualidad de un reloj de pared. Paga el alquiler religiosamente y es prácticamente un abstemio, no se cansa de mostrarse complaciente con las muchachas y es capaz de tenerlas divertidas todo el día; pero lo más importante de todo es que se ha conquistado el cariño de la mayor, que está dispuesta a ir con él a la iglesia mañana mismo.

Quien sostiene acaloradamente ciertas ideas, gusta de aplicarlas o exhibirlas siempre que se le presenta ocasión, y el gran especialista, ya que había descendido a la sencillez del sacerdote, no tuvo inconveniente en mostrarse generoso. Se acomodó, pues, en su sillón y empezó a perorar como un catedrático en un discurso académico.

—Aun en los casos más insignificantes es mejor examinar ante todo las principales tendencias de la Naturaleza. Es posible que una flor no muera en invierno; pero las flores mueren. Una guija quizá no se humedezca con la marea; pero la marea se produce. Para el observador científico toda historia humana es una serie de movimiento colectivo, de destrucciones, de migraciones, como el exterminio de las moscas en invierno o la vuelta de los pájaros en primavera. Ahora bien, el factor básico de toda historia es la raza. La raza produce la religión, la raza produce las guerras legales y éticas. Pocos casos se encontrarán más fuertes, por su obstinación en sus mismas fragilidades, que el de los celtas, raza de la que son un excelente ejemplar sus amigos los MacNabs. Cortos de estatura, atezados, de temperamento soñador e impulsivo, aceptan fácilmente la explicación supersticiosa de cualquier incidente, como siguen aceptando, y perdone usted que se lo diga, la explicación supersticiosa de todos los incidentes que usted y su Iglesia representan. No es de admirar que esa gente que vive entre el mar que brama tras ellos y la iglesia (vuelvo a rogarle que me perdone) que zumba delante, vean las cosas más fantásticas en lo que probablemente responde a hechos muy sencillos. Usted, con sus ligeras responsabilidades parroquiales, no ve más que a esa señora MacNabs, asustada con su propio relato de las dos voces y un hombre alto que sale del mar; pero el hombre que posee una imaginación disciplinada por la ciencia ve, por decirlo así, todo un clan de MacNabs diseminado por el mundo, aunque en su imaginación se los presenta como una bandada de pájaros. Ve miles de señoras Mac Nabs, en miles de casas, dejando su gotita de estado morboso en la taza de té de sus amigos; ve...

Antes que el hombre de ciencia pudiera decir lo que veía, se oyó llamar desde la parte exterior con impaciencia, cruzó el corredor el rumor de unas sayas veloces, se abrió la puerta y entró una joven decentemente vestida, pero encarnada y con las ropas en cierto desorden por la prisa. Traía el cabello rubio algo desprendido por el aire del mar y hubiera parecido una verdadera belleza sin los pómulos excesivamente acentuados de relieve y de color, que delataban a una escocesa.

Más pareció dar una orden que presentar excusas:

—Siento interrumpirle, señor —dijo—; pero he tenido que venir en busca del padre Brown al momento. Se trata de algo de vida o muerte.

El padre Brown se levantó atropelladamente diciendo:

—Pero, ¿qué ha sucedido, Maggie?

—James ha sido asesinado, según lo que he podido sacar en limpio —contestó la muchacha, jadeando aún de fatiga—. Ese hombre llamado Copa ha vuelto a estar con él. He oído muy bien que discutían, escuchando a través de la puerta. Dos voces distintas. James tiene una voz grave y hablaba con un sonido gutural, mientras que la voz del otro es aguda y bien timbrada.

—¿El hombre llamado Copa? —repitió el sacerdote con acento de perplejidad.

—Sé que se llama Copa —contestó la joven con impaciencia— porque he oído su nombre a través de la puerta. Estaban peleándose a causa de dinero, según creo, pues oí que James decía y repetía: «Está bien, Mr. Copa», o «No, Mr. Copa». Y, luego: «Dos y tres, Mr. Copa.» Pero hablamos demasiado. Venga usted en seguida y tal vez llegaremos aún tiempo.

—¿A tiempo para qué? —preguntó el doctor Hood, que contemplaba a la muchacha con creciente interés—. ¿Qué hay de particular en ese Mr. Copa y sus apuros monetarios para que nos precipitemos de ese modo?

—He tratado de derribar la puerta y no he podido —contestó secamente la muchacha—. Entonces he dado la vuelta por detrás y me he encaramado a la ventana. Lo he visto todo oscuro y me parecía que la habitación estaba vacía, pero puedo jurar que he distinguido perfectamente a James tirado como un fardo en un ángulo, como si estuviese envenenado o estrangulado.

—La cosa es muy seria —sentenció el padre Brown, cogiendo el sombrero y el paraguas y disponiéndose a partir—. Precisamente le estaba exponiendo vuestro caso a este caballero, y en su opinión...

—Mi opinión ha variado mucho —dijo el sabio con gravedad—. No creo que esta muchacha sea tan céltica como suponía. Ya que no tengo otro trabajo, voy a coger mi sombrero y les acompaño.

Pocos minutos después, los tres caminaban por la desierta calle de los MacNabs; la joven, con su paso largo y firme de montañesa; el criminólogo, con una graciosa displicencia no exenta de cierta agilidad, y el sacerdote, con toda la distinción que le permitía el hecho de caminar a trancos para seguirlos. El aspecto que ofrecía la calle justificaba las alusiones del doctor a la influencia del medio ambiente. Era triste y desolado. Las casas cada vez estaban más apartadas, formando línea a lo largo de la costa; la tarde se cerraba en un crepúsculo prematuro y triste, el mar presentaba un color violeta y murmuraba ominosamente. En el raído huerto que se extendía por detrás de la casa de los MacNabs hasta la playa, dos árboles negros y secos levantaban las desnudas ramas al cielo como manos de fantasmas, y no otra cosa parecía la señora MacNabs al bajar por la calle al encuentro del grupo, con las manos en alto y el rostro despavorido y en sombras. El doctor y el sacerdote apenas podían atajar el torrente de sus palabras con que reiteraba la historia de su hija, añadiendo fantásticos e inquietantes detalles y clamando al cielo venganza contra Mr. Copa por haber cometido un asesinato, contra el mismo Todhunter por haberse dejado asesinar, por atreverse a pretender a su hija y por haber muerto sin casarse con ella. Entraron juntos en la casa, y por un estrecho pasadizo, llegaron ante la puerta del realquilado. Se adelantó el doctor Hood y con resolución de un viejo detective apoyó su hombro contra la puerta y la abrió de un empujón.

Se hallaron ante una escena de catástrofe, cuya tragedia impresionaba en el silencio. Nadie que hubiera echado una ojeada al interior de aquel aposento podría dudar de que acababa de desarrollarse en él una escena violenta entre dos o más personas. Una baraja estaba esparcida por la mesa y por el suelo, como si se hubiera interrumpido el juego. A un lado de la mesa había dos copas de vino, y los añicos de otra estaban esparcidos sobre la alfombra. No lejos de la mesa lucía un arma que lo mismo podía ser un cuchillo de larga hoja como una espada corta, de empuñadura grabada y ornamentada. Su obtusa hoja reflejaba la escasa luz que entraba por la ventana, por donde se veían los árboles destacando su negrura sobre la pesada superficie del mar. En un ángulo de la habitación había una chistera de seda, tirada por tierra como si la hubiesen derribado de un golpe de la cabeza de algún caballero, y tal era la impresión, que parecía que aún rodaba. Y tirado en un rincón, como un saco de patatas, pero atado como un baúl de ferrocarril, yacía Mr. James Todhunter, con una mordaza en la boca y seis o siete cuerdas que le sujetaban brazos y piernas con fuertes nudos. Estaba vivo, porque tenía los ojos abiertos y los movía de un lado a otro.

El doctor Hood se detuvo un momento en el umbral de la puerta para hacerse cargo de aquella escena de muda violencia. Luego avanzó vivamente, cogió el sombrero de copa alta y con aire de despreocupación se lo puso a la amordazada víctima. Le venía tan ancho, que casi le llegó a los hombros. Lo cogió otra vez, y se dirigió a los presentes:

—El sombrero de Mr. Copa —sentenció el doctor, volviendo con él a la puerta para examinarlo con una lente de bolsillo—. ¿Cómo se explica la ausencia de Mr. Copa y la presencia de su sombrero? Mr. Copa no es hombre descuidado con sus prendas. Este sombrero es de una hechura perfecta y ha sido cepillado de una manera sistemática, aunque está ya algo viejo. Aseguraría que se trata de un señor pulcro y de avanzada edad.

—Pero, ¡por Dios! —exclamó Miss MacNabs—, ¿por qué no desata antes a ese desgraciado?

—Digo de edad avanzada con toda intención, aunque no lo juraría —continuó el sabio—. Acaso mis razones parezcan poco fundadas. A los hombres se les cae el pelo más o menos, pero siempre poco a poco, y con mis lentes puedo ver el que se queda en un sombrero que se acaba de quitar de la cabeza, por delgado que el cabello sea. Pues bien; aquí no aparece el menor pelo, lo que me induce a pensar que Mr. Copa es calvo. Ahora bien, teniendo en cuenta que posee la voz aguda y quejicosa con que tan vivamente nos lo describe Miss MacNabs (¡paciencia, amiga mía, paciencia!), y relacionando la cabeza calva con ese tono propio de la cólera senil, creo que podemos suponer, sin miedo a equivocarnos, que se trata de una edad avanzada. No obstante, debe ser un hombre vigoroso, y alto, sin duda alguna. Para esto podría apoyarme hasta cierto punto en el relato de su propia aparición en la ventana, que nos lo presenta como hombre de gran estatura con el sombrero de copa; pero creo tener una prueba más concluyente. Esta copa se ha desparramado, hecha añicos, por toda la habitación, pero un fragmento lo encontramos en la repisa de la chimenea. Si la copa se hubiera roto en las manos de un hombre relativamente bajo, como Mr. Todhunter, ningún trozo hubiera caído allí.

—Y a propósito —intervino el padre Brown—, ¿no podríamos desatar ya a Mr. Todhunter?

—La lección que nos dan estos vidrios rotos no acaba aquí —prosiguió el especialista—. Estoy pronto a afirmar que Mr. Copa es calvo y nervioso, debido más a su vida de disipación que a su edad. Mr. Todhunter, como ya se ha advertido, es un caballero pacífico, frugal y casi abstemio. Esta baraja y estas copas de vino no significan que tenga el hábito del juego y de la bebida; se han sacado para complacer a un compañero que tiene ese hábito. Y podemos ahondar más en el asunto. Mr. Todhunter es posible que guarde ese servicio de vino, pero no aparece el menor indicio de que tenga vino. Entonces, ¿qué nos indica la presencia de estas copas? Yo diría que habían de llenarse de coñac o de whisky, acaso de excelente calidad, que Mr. Copa traería en el bolsillo. Y así adquirimos casi el retrato vivo del hombre, o al menos del tipo: alto, viejo, elegante, aunque algo raído, aficionado al juego y a las bebidas fuertes, y acaso demasiado aficionado. Mr. Copa no es un personaje raro en el seno de la sociedad.

—¡Óigame! —gritó la joven—, o me deja usted pasar a desatarlo, o salgo a la calle a gritar para que acuda la Policía.

—No le aconsejo, miss MacNabs —dijo el doctor Hood formalmente— que se dé prisa en llamar a la Policía. Padre Brown, le ruego encarecidamente que tranquilice a su rebaño, no por mí, sino por ella misma. Pues bien; ya hemos visto algo respecto a las cualidades físicas y morales de Mr. Copa. ¿Qué sabemos de Mr. Todhunter? Tres hechos especiales: que es económico, que es más o menos rico y que tiene un secreto. Debo añadir que las tres cualidades corresponden a esa clase de hombres que suelen ser víctimas de un chantaje. Y esto es tan cierto como que la elegancia tronada, la vida viciosa y el genio arrebatado de Mr. Copa son los indiscutibles distintivos de esa clase de hombres que se dedican al chantaje. Aquí tenemos las dos personas típicas de la tragedia del dinero con que se compra el silencio. Por una parte, el hombre respetable en cuya vida hay un misterio. Los dos hombres se han encontrado aquí y han luchado a golpes y con arma blanca.

—¿Va usted a quitarle esas cuerdas? —preguntó la muchacha arrebatadamente.

El doctor Hood dejó con cuidado el sombrero en la mesa de al lado y se acercó al atado. Lo examinó atentamente, lo movió y hasta le dio media vuelta sobre la espalda; pero se limitó a contestar:

—No, creo que no hay que tocar estas cuerdas hasta que sus amigos de la Policía traigan las esposas.

El padre Brown, que permanecía con la vista fija en la alfombra, levantó su redonda cabeza y preguntó:

—¿Qué quiere decir con eso?

El hombre de ciencia, que había recogido del suelo aquella arma de forma indefinible, la examinó atentamente mientras contestaba:

—Hemos encontrado atado a Mr. Todhunter; ustedes sacan la conclusión de que Mr. Copa lo ató, y supongo que creerán que después de atarlo desapareció. A eso se oponen cuatro objeciones. Primera: ¿Cómo un hombre tan cuidadoso de su persona como Mr. Copa dejó, al escapar, abandonada su chistera, si lo hizo por voluntad propia? Segundo —prosiguió, mientras se aproximaba a la ventana—: ésta es la única salida, y veo que está cerrada por dentro. Tercera: este arma tiene una manchita de sangre en la punta, pero Mr. Todhunter no está herido. Vivo o muerto, Mr. Copa desapareció con la herida. Añadid a esto el principio de las probabilidades. Es más probable que la víctima del chantaje tratase de matar al que era su pesadilla, que no éste tratase de matar a la gallina de los huevos de oro. Me parece que con esto tenemos la historia completa.

—Pero, ¿y las ataduras? —preguntó el sacerdote, cuyos ojos se habían mantenido muy abiertos, en una expresión admirativa.

—¡Ah! ¿Las cuerdas? —dijo el especialista en un tono especial—. Miss MacNabs arde en deseos de saber por qué no he desatado a Mr. Todhunter. Pues bien; se lo diré. No he librado a Mr. Todhunter de las ligaduras porque puede hacerlo él por sí mismo cuando le plazca.

—¡Cómo! —exclamaron los otros en distintos tonos de sorpresa.

—He examinado bien todos los nudos que sujetan a Mr. Todhunter —dijo el doctor con serena calma—. Entiendo bastante de nudos. Todos esos nudos los ha hecho él y él puede deshacerlos. Ni un solo nudo de esos está hecho por un enemigo que realmente hubiera intentado sujetarlo. Toda esa ostentación de cuerdas y nudos es mera filfa, con objeto de hacernos creer que ha sido víctima de la lucha, en vez del desgraciado Mr. Copa, cuyo cadáver debe estar enterrado en el huerto o colgado en el interior de la chimenea.

Se produjo un silencio violento. La habitación se envolvía en oscuridad. Las ramas de los árboles del huerto parecían más retorcidas y negras que nunca y como si se hubieran acercado a la ventana. Diríase que eran monstruosos pulpos que salían arrastrándose del mar para ver en qué acabaría aquella tragedia, como él, el villano y víctima de su villanía, el hombre espantoso del sombrero de copa alta, había salido también del mar.

El rostro del sacerdote católico, que de suyo tenía una expresión complaciente y aun cómica, se ensombreció de pronto en un curioso ceño. No era la suya una curiosidad de hombre ignorante, sino la que se manifiesta cuando se nos ha ocurrido una idea que nos parece extraordinaria.

—Haga usted el favor de repetir eso —dijo de una manera sencilla y aturdida—. ¿Cree que Mr. Todhunter puede atarse como está sin ayuda de nadie, y desatarse con la misma facilidad?

—Eso es lo que digo —afirmó el doctor.

—¡Jerusalén! —exclamó Brown de pronto—. ¡Dudo que sea eso razonable!

Se deslizó por la habitación como un conejo y examinó de un modo especial el rostro medio cubierto del postrado. Luego volvió al lado de las mujeres con viva satisfacción.

—¡Sí, es verdad, lo que dice el doctor! —gritó con cierta agitación—. ¿No lo veis en su misma cara? ¡Mirad sus ojos!

Tanto el profesor como la muchacha se acercaron a mirar, y aunque un pañuelo negro le tapaba casi la mitad de la cara, notaron en la parte que quedaba descubierta una cierta vitalidad que se manifiesta con movimientos violentos.

—Mira de una manera extraña —dijo la joven,

honradamente conmovida—. ¡Idiotas! ¿No veis que está sufriendo?

—No lo creo —dijo el doctor Hood—. Hay en esos ojos cierta expresión, pero yo interpretaría esos movimientos giratorios como la manifestación de su actual estado psicológico, un tanto anormal...

—¡Válgame Dios! —exclamó el padre Brown—. ¿No ve usted que se está riendo?

—¿Riendo? —repitió el doctor, volviéndose—. Pero, ¿de qué diablos puede reírse?

—Pues —replicó el reverendo Brown—, sin ánimo de molestarle, yo creo que se ríe de usted. Y por cierto que tengo ganas de reírme de mí mismo, ahora que lo comprendo.

—¿Qué es lo que usted comprende? —preguntó Hood casi exasperado.

—Ahora que sé cuál es la profesión de Mr. Todhunter —replicó el cura.

Se movió por la habitación mirando a todos los objetos uno a uno. Detenía en ellos su mirada y prorrumpía en una risotada, cosa que ponía furiosos a los que estaban pensando en qué pararían aquellas rarezas. El sombrero le arrancó estrepitosas carcajadas, y aún fueron más estrepitosas las que le produjo la copa rota; pero la sangre en la punta de la espada estuvo a punto de hacerle morir materialmente de risa. Luego se volvió al enojado especialista.

—¡Doctor Hood! —le gritó, entusiasmado—. ¡Es usted un gran poeta! Ha creado un ser viviente de la nada, lo cual es mucho más meritorio que indagar los hechos de una manera positiva. Sin duda, los hechos en sí son de lo más ordinario y cómico, si se comparan con sus deducciones.

—No tengo la menor idea de lo que está usted diciendo —replicó el doctor Hood con cierta altivez—. Los hechos que expongo son absolutamente lógicos, aunque, por desgracia, incompletos. La intuición puede intervenir hasta cierto punto; o la inspiración poética, si usted prefiere la palabra; pero sólo cuando no se pueden llegar a descubrir los pormenores correspondientes. En ausencia de Mr. Copa...

—Aquí te quiero ver, escopeta —dijo el clérigo, movimiento enérgicamente la cabeza—. Ése es el principio que hay que sentar ante todo: la ausencia de Mr. Copa. No puede estar muy ausente. Creo —añadió en tono reflexivo— que nadie ha estado tan ausente como Mr. Copa.

—¿Quiere decir que está ausente de la ciudad? —inquirió el doctor.

—Quiero decir que está ausente de todas partes —contestó el padre Brown—. Está ausente de la naturaleza de las cosas, por decirlo así.

—¿Quiere usted decir, en serio —preguntó el especialista sonriendo—, que no existe tal persona?

El cura hizo una señal de asentimiento.

—Por triste que parezca —dijo.

Orion Hood rompió en una risotada de desprecio.

—Bien —dijo—, antes de entrar a examinar las otras cien pruebas, agotemos el análisis de la primera que hallamos al entrar en la habitación. Lo primero que vimos fue este sombrero. Si no es de Mr. Copa, ¿de quién es?

—Es de Mr. Todhunter —replicó, sonriente, el padre Brown.

—¡Pero si no le va bien! —gritó Hood con impaciencia—. ¡No puede llevarlo!

El padre Brown movió la cabeza con inefable mansedumbre y replicó:

—Yo no he dicho que lo lleve, sino que el sombrero es suyo, o, si lo prefiere usted de otro modo, que el sombrero es de su propiedad.

—¿Y dónde está la diferencia, que no la veo? —preguntó el doctor con un acento de ironía.

—¡Señor mío! —gritó el manso hombrecillo con un primer asomo de impaciencia—, si quiere usted acompañarme a la calle, le llevaré a una tienda de sombreros y me comprometo a demostrarle la diferencia que hay entre el sombrero que uno lleva y los sombreros que son de la propiedad del tendero.

—Pero un sombrerero —protestó el doctor— puede sacar dinero de su surtido de sombreros nuevos. ¿Qué puede sacar Todhunter de este sombrero viejo?

—Conejos —replicó el padre Brown con extraordinaria viveza.

—¿Qué? —gritó el doctor.

—Conejos, cintas, caramelos, peces de colores, serpentinas —enumeró el reverendo precipitadamente—. ¿No vio usted todo eso al descubrir que las ataduras eran una filfa? También lo es la espada. Mr. Todhunter no presenta el menor rasguño, como usted ha dicho; pero lleva un rasguño dentro si no me equivoco.

—¿Quiere decir bajo las ropas de Hr. Todhunter? —preguntó con voz severa la señora MacNabs.

—No quiero decir bajo las ropas de Mr. Todhunter —contestó el padre Brown—; digo dentro de Mr. Todhunter.

—Pero, ¿se puede saber de una vez qué quiere usted decir?

—Mr. Todhunter —replicó el padre Brown complaciente— se prepara para ejercer su profesión de nigromante, prestidigitador, ventrílocuo y experto en el truco de las cuerdas. La nigromancia nos explica el misterio del sombrero. Si no ve en él pelo alguno, no se debe a la prematura calvicie de Mr. Copa, sino a que nadie se lo ha puesto en la cabeza. La prestidigitación explica las tres copas con las que Mr. Todhunter se ejercitaba tirándolas al aire y recogiéndolas después de imprimirles un movimiento de rotación, y como todavía no es bastante experto, ha roto una contra el techo. La misma prestidigitación nos explica la espada, que Mr. Todhunter ha de tragarse, en cuyo acto seguramente fundará su orgullo profesional. Pero aquí también nos encontramos con que aún le falta practicarse mucho, pues, sin querer, se ha hincado ligeramente la punta dentro de la garganta; de manera que lleva un rasguño dentro, que, a juzgar por la expresión de su cara, estoy seguro de que no es cosa seria. Estaba también practicando la suerte de desatarse de las ligaduras, como los hermanos Davenport, y ya iba a desatarse él mismo cuando hemos hecho irrupción en su aposento. Las cartas, desde luego, son para hacer juegos de manos, y están esparcidas por el suelo porque acaba de practicarse en el arte de hacerlas volar por el aire. Únicamente guardaba el secreto de su oficio porque le convenía mantener sus trucos en secreto, como todo nigromante. Pero el mero hecho de un holgazán que llevaba sombrero de copa alta, que se paró a mirarlo detrás de la ventana y la circunstancia de arrojarlo él de allí con palabras de justa indignación, han bastado para que entre todos hayamos urdido una novela, imaginándonos una vida misteriosa sobre la que se proyectaba la sombra de la chistera de seda de Mr. Copa.

—¿Pero cómo se explica lo de las dos voces? —preguntó Maggie vivamente.

—¿Nunca has oído un ventrílocuo? —preguntó el padre Brown—. ¿No sabes que primero hablan con su voz natural y luego se contestan ellos mismos con esa voz chillona y afectada que oíste?

Hubo un largo silencio y el doctor Hood miraba al hombrecillo con una oscura y obsequiosa sonrisa.

—No hay duda de que es usted una persona muy ingeniosa —le dijo—, y no se explicaría mejor un libro. Pero hay una particularidad en Mr. Copa que no ha puesto en claro, y es su nombre. Miss MacNabs oyó distintamente que así lo llamaba Mr. Todhunter.

El reverendo Brown prorrumpió en una risita de niño.

—Bueno, eso —dijo— es lo más simple de toda esta sencilla historia. Cuando nuestro amigo el prestidigitador lanzaba al aire, por turno, las tres copas, las iba contando en voz alta a medida que las recogía, y de la misma manera comentaba en voz alta cuando alguna le fallaba. Lo que realmente decía era: «Una, dos y tres... perdí una copa; una, dos... perdí una copa» (1). Y así por el estilo.

Hubo un momento de intenso silencio y luego, todos a una, prorrumpieron en una carcajada. Mientras ellos reían, el amordazado aflojó todas las cuerdas y se desprendió de ellas con una sacudida. Hecho esto, se colocó en el centro de la sala, hizo un cortés saludo y sacó de su bolsillo un gran prospecto impreso en tinta azul y encarnada, en el que anunciaba que *Zaladin*, el mejor prestidigitador del mundo, acróbata, ventrílocuo y canguro humano haría su presentación con una serie de trucos enteramente nuevos en la «Sala Imperio», Scarboroug, el lunes, a las ocho en punto.

(1) En inglés la confusión es más explicable: *Misset a glass*, fácilmente confundible con Mr. Glass. — *N. del T.*

## II

## EL PARAÍSO DE LOS BANDIDOS

El eminente Muscari, que era el más original de los jóvenes toscanos, entró precipitadamente en su restaurante predilecto, que señoreaba el Mediterráneo a la sombra de un gran toldo y entre limoneros y naranjos que lo ceñían. Los mozos, revestidos con albos delantales, estaban preparando las blancas mesas para la merienda de los elegantes, lo cual aumentaba una satisfacción que rayaba en fanfarronería. Muscari poseía una nariz aguileña como el Dante; su cabellera y su corbata eran negras y airosas; llevaba una capa negra y hubiera podido llevar también un negro disfraz: tal era la impresión que daba de un melodrama veneciano. Se conducía como si un trovador tuviese todavía un oficio bien definido en la sociedad, como un obispo. Se paseaba por este mundo, en cuanto le permitían los usos, como otro don Juan, con espadín y guitarra.

Nunca viajaba sin una caja de espadas, con las que había salido brillantemente de varios duelos, o sin el estuche de su bandolín, con que en la actualidad daba serenatas a miss Ethel Harrogate, la hija de un banquero de Yorskhire. No era ni charlatán ni pueril, sino un latino acalorado y lógico, que siempre quería salirse con la suya. Su poesía era tan sincera como la prosa de cualquiera. Deseaba la celebridad, el vino y las mujeres bellas con una ardiente vehemencia inconcebible para los oscuros idealistas o positivistas del Norte. Entre las razas más mezcladas, esta vehemencia huele a peligro y aun a crimen. Como el mar o el fuego era demasiado sencillo para que uno se fiase de él.

El banquero y su hermosa hija inglesa se hospedaban en el hotel al que pertenecía el restaurante de Muscari; no por otra causa era su restaurante preferido. Un vistazo al interior le bastó para convencerse de que los ingleses aún no habían bajado. El local presentaba un aspecto deslumbrante, pero aún estaba relativamente vacío. Dos sacerdotes hablaban, sentados a una mesa, en un ángulo; pero Muscari, ardiente católico, no hizo de ellos más caso que de una pareja de cuervos. Pero de una mesa más distante y oculta, en parte, tras un árbol enano, dorado de naranjas, se levantó y avanzó hacia el poeta una persona, cuyo vestido contrastaba casi agresivamente con el de aquél.

Vestía una chaqueta abigarrada de tejido multicolor, una corbata encarnada, un cuello de pajarita y unas botas protuberantes y amarillas. Presentaba un tipo espantosamente ridículo, pero cuando aquel estafermo se acercó, Muscari se quedó atónito al notar que la cabeza era totalmente distinta de lo que al cuerpo correspondía.

Era una cabeza italiana, de tez morena, barba abundosa y expresión vivaz, que prorrumpía del cuello duro como el cartón y de la cómica corbata roja. Y él conocía aquella cara. Le reconoció a pesar del horroroso atavío dominguero inglés que envolvía a su viejo, pero olvidado amigo Ezza. Este joven había sido un prodigio en la escuela y apenas contaba quince años se le prometía ya una fama europea; mas cuando se enfrentó con el mundo, fracasó; primero, públicamente, como autor dramático y demagogo, y luego, en privado, durante muchos años, como actor, viajante, agente de negocios y periodista. Muscari lo había visto la última vez tras las candilejas. Era demasiado ordenado para la vida excitada de aquella profesión, y se creyó que alguna calamidad moral se lo había tragado.

—¡Ezza! —exclamó el poeta, levantándose a estrecharle las manos con agradable sorpresa—. Te he visto disfrazado de muchas maneras en los escenarios, pero nunca esperé que te vistieses como un inglés.

—No me visto como un inglés —contestó Ezza, en serio—, sino como un italiano del futuro.

—En todo caso —observó Muscari—, prefiero al italiano del pasado.

—Ése es tu viejo error, Muscari —dijo el estrafalario, moviendo la cabeza—. El error de Italia. En el siglo dieciséis los toscanos madrugábamos; teníamos las mejores armas, las mejores tallas, la mejor química. ¿Por qué no hemos de tener las mejores fábricas, los mejores motores... y la mejor ropa?

—Porque nada de eso vale la pena —contestó Muscari—. Los italianos no pueden progresar; son demasiado inteligentes. El hombre que se da buena vida yendo por el atajo nunca querrá ir por la carretera.

—Pues para mí, el héroe de Italia es Marconi y

no D'Annunzio —replicó el otro—. Por eso me he convertido en un futurista... y en guía.

—¡En guía! —exclamó Muscari, riendo—. Eso es lo último de la lista de oficios. ¿Y a quién conduces?

—A un caballero llamado Harrogate y creo que su familia también viene.

—¿No será el banquero que se hospeda en este hotel? —preguntó el poeta con cierta ansiedad.

—El mismo —contestó el guía.

—¿Paga bien? —inquirió el trovador, indiferente.

—Haré negocio —dijo Ezza con una sonrisa enigmática—. Aunque soy un guía harto curioso. —Y añadió como si quisiera cambiar de tema—: Tiene una hija... y un hijo.

—La hija es divina —afirmó Muscari— y el padre y el hijo supongo que son humanos. Pero, prescindiendo de sus inocentes cualidades, ¿no te ha chocado ese banquero como un ejemplo excelente de mi argumento? Harrogate tiene millones en sus arcas, y yo... el bolsillo hueco. Pero no me dirás por eso que sea más inteligente que yo, ni más audaz, ni siquiera más activo. No es más listo: sus ojos parecen dos botones azules; no es más ágil; se mueve de silla a silla como un paralítico. Es un viejo que tiene una cabeza de alcornoque, pero tiene dinero por la sencilla razón de que recoge dinero, como un muchacho recoge estampas. Tú tienes demasiada inteligencia para los negocios, Ezza. No hará nada de provecho. La inteligencia que se necesita para todo ese dinero se reduce a ser lo bastante estúpido para desearlo.

—Soy bastante estúpido para eso —replicó Ezza, tristemente—. Pero te ruego que suspendas tu crítica sobre el banquero, porque ahí viene.

Mr. Harrogate, el gran hombre de negocios, hizo en efecto su aparición en la sala; pero nadie se fijó en él. Era un hombre de edad y de constitución maciza, de ojos de un azul empañado y de un bigote marchito, de un gris terroso; mas, por su pesado caminar, parecía un coronel. Llevaba a la diestra un manojo de cartas cerradas. Su hijo Frank era un guapo mozo de pelo rizado, curtido y enérgico; pero tampoco lo miró nadie. Todos los ojos, más o menos disimuladamente, convergieron en Ethel Harrogate, cuya cabeza griega y dorada por la luz crepuscular se recortaba sobre el zafiro del mar como la de una diosa. El poeta Muscari lanzó un hondo suspiro, como si estuviera bebiendo el Clásico, que fabricaban sus padres. Ezza la examinó con mirada no menos intensa, pero más desconcertado.

Miss Harrogate estaba radiante como nunca y dispuesta a la conversación, y su familia se había contagiado de los holgados hábitos del Continente, permitiendo que el extranjero Muscari y aun el guía Ezza compartieran con ellos la mesa y la charla, aunque el apego de Ethel Harrogate a los formulismos le daba un aire de perfección y de esplendor que realzaba sus encantos. Orgullosa de la prosperidad de su padre, aficionada a sus placeres de buen tono, buena hija, pero consumada coqueta, poseía un carácter que la hacía enteramente agradable, y una mundología cordial.

Hablaban algo agitados, comentando supuestos peligros que habían de hallar en el camino de la montaña que se proponían atravesar aquella semana. No estaba el peligro en lo erizado del desfiladero ni en un posible alud, sino en otras circunstancias más románticas. Habían asegurado a Ethel, formalmente, que los bandidos, los verdaderos asesinos de la leyenda moderna, habitaban aún por aquellos parajes y dominaban el paso de los caminos.

—Dicen —gritaba con la inconsciente afluición de una colegiala— que en toda esa comarca no gobierna el rey de Italia, sino el rey de los ladrones. ¿Quién es el rey de los ladrones?

—Un hombre —contestó Muscari—, digno de parangonarse con vuestro propio Robin Hood, signorina. Montano, rey de los ladrones, empezó a dar que hablar en la montaña hace diez años, cuando ya la gente decía que los bandidos estaban exterminados. Su feroz autoridad se extendió con la rapidez de una silenciosa revolución. Sus crueles proclamas se hallaban clavadas en todas las aldeas de la montaña; sus centinelas, arma al brazo, en todas las barrancadas. Seis veces trató el gobierno italiano de desalojarlo de allí, y fue derrotado en seis batallas sangrientas que parecían dirigidas por Napoleón.

—Semejante monstruosidad —observó el banquero pesadamente— nunca se permitiría en Inglaterra. De todos modos podríamos elegir otra ruta, aunque el guía asegura que no hay peligro alguno.

—El camino es seguro —dijo el guía, despectivamente—. Veinte veces lo he recorrido. Acaso hubo algún pájaro enjaulado llamado Rey en tiempo de mi abuela; pero pertenece a la historia, si no a la fábula. El bandolerismo se acabó para siempre.

—Nunca podrá acabarse con él —replicó Muscari—, porque la revuelta armada es una reacción natural de la gente del Sur. Nuestros campesinos se parecen a las montañas, que están llenas de gracia y de verdor, pero llevan fuego en las entrañas. En caso de exasperación los pobres del Norte recurren al vino, y nuestros pobres a la daga.

—Un poeta es un ser privilegiado —opuso Ezza con una mueca de burla—. Si el señor Muscari fuere inglés, aún encontraría salteadores de caminos en Wandswooth. Créame: no hay más peligro de ser secuestrado en Italia que de perder el cuero cabelludo en Boston.

—¿Entonces propone usted que lo intentemos? —preguntó Mr. Harrogate, frunciendo el ceño.

—¡Oh! ¡Qué horror! —exclamó la joven, volviendo a Muscari sus ojos de luz—. ¿Cree usted, realmente, que el paso es peligroso?

—Me consta que lo es —contestó Muscari, echándose atrás las melenas—. Mañana he de cruzarlo yo.

El joven Harrogate se detuvo un poco para vaciar la copa de clarete y encender un cigarrillo, mientras su hermana se alejaba con el banquero, el guía y el poeta, cambiando frases de coqueteo. Al mismo tiempo, los dos sacerdotes del rincón se levantaron, y el más alto, un cura italiano de cabello blanco, se despidió. El sacerdote más pequeño se acercó al hijo del banquero, y quedó sorprendido al echar de ver que aquel clérigo de la Iglesia Romana era un inglés, y vagamente recordó haberle visto antes en las reuniones de algunos amigos católicos. Pero el hombrecillo le habló antes de que pudiera hacer memoria.

—Mr. Frank Harrogate, si no me equivoco —dijo—. Creo haber sido presentado a usted, aunque no por el deseo de presumir de amistad. Lo que he de decirle, aún sería mejor que se lo dijese un desconocido. Mr. Harrogate, le diré dos palabras y me voy: cuide a su hermana de la gran aflicción que la espera.

La indiferencia fraternal de Frank quedó conmovida por la alegría burlesca de su hermana. Aún le llegaba la risa desde el jardín del hotel, cuando se volvió a su sombrío consejero, intrigado y acometido de un vago miedo que tenía:

—¿Lo dice por los bandidos, o se refiere usted a Muscari?

—Nunca piensa uno en la verdadera aflicción —dijo el extraño cura—. Sólo puede ser uno afable cuando llega.

Y salió precipitadamente de la sala, dejando al

otro con la boca abierta.

Un día después, subía un coche trepidando y tambaleándose por las asperezas pedregosas de la ominosa montaña y zarandeando a los pasajeros que llevaba. El primer propósito de la familia del banquero salió robustecido de la discusión sostenida entre Ezza, que negaba con desenfado el peligro, y Muscari, que se empeñaba en afrontarlo con bravucona valentía, y cuyo viaje por la sierra coincidía con lo de los otros. Y aún se les unió la estrafalaria figura del cura del restaurante alegando sencillamente que los negocios lo llamaban al otro lado de la cordillera, si bien el joven Harrogate no dejó de relaciones su presencia con los temores y consejos misteriosos de la víspera.

El coche era un carruaje abierto, inventado por el talento modernista del guía, que dominaba la excursión con sus alardes de ciencia y de ingenio. La idea de peligro a causa de ladrones no figuró un momento en la conversación, aunque se habían tomado ciertas precauciones en previsión de cualquier contingencia. El guía y el hijo del banquero llevaban revólveres cargados, y Muscari, con pueril satisfacción, escondía bajo su capa negra un arma blanca parecida a un alfanje.

Se había acomodado, con la mayor desfachatez, al lado de la hermosa inglesa, a cuyo otro lado se sentaba el sacerdote, a quien conocemos con el nombre de Brown y que, por fortuna, era un hombre silencioso. El guía, el banquero y el hijo ocupaban el asiento posterior. Muscari estaba exaltado, creyendo sinceramente en el peligro, y, a juzgar por su conversación, Ethel hubiera podido creer que viajaba con un monomaniático. Pero en aquella subida loca y gloriosa, entre riscos y picachos, vestidos de verdura, como vergeles, había algo que la arrebató con él a absurdos sueños de color de rosa y fuegos artificiales. La cinta blanca de la carretera trepaba como un gato montés, atravesando túneles de verdura y se retorcía por las alturas como una serpiente.

Por más que ascendían, el desierto continuaba revelándose hermoso como una rosa. A lo lejos, los campos ardían de sol y de colores, y por todas partes se oían los cantos de los pájaros y rebrincaba la gracia de mil flores mecidas por el viento. No hay prados y bosques más bellos que los de Inglaterra, ni cumbres y quebradas como las de Snowdon y Gleucoe. Pero Ethel no había visto estas glorias naturales ni había en Italia aquella fría desolación que un inglés asocia siempre a los parajes altivos y salvajes. Diríase que caminaban entre las ruinas de un palacio de mosaico derribado por los terremotos.

—Se parece a Kew Gardens en Beachy Heand —observó.

—Es nuestro secreto —contestó él—, el secreto del volcán, que es también el secreto de la revolución, por cuanto una cosa puede ser violenta sin dejar de ser útil.

—También usted es un poco violento —dijo ella, sonriéndole.

—Sin dejar de ser un inútil —contestó él—. Si me matasen esta noche moriría soltero y como un necio.

—No tengo yo la culpa de que haya venido —advirtió ella, después de un silencio embarazoso.

—Usted nunca tiene la culpa —contestó Muscari—. No fue suya la culpa si cayó Troya.

Así hablando, llegaron bajo una imponente escarpadura que se inclinaba como un ala sobre una rinconada peligrosísima. Asustados los caballos por las sombras que se proyectaban en el angosto paso se inquietaron y declararon en rebeldía. El cochero saltó a tierra para sujetarlos por las bridas y los animales se resistieron. Una de las bestias se levantó sobre las patas traseras con toda la violencia de un caballo cuando se siente bípedo, y esto bastó para que el coche, perdiendo el equilibrio, diese unas bandadas como un barco viejo y cayese de lado sobre los matorrales que franqueaban el borde del precipicio. Muscari pasó un brazo por la cintura de Ethel que se cogió al poeta y gritó horrorizada. El joven no vivía más que para aquel momento.

En el preciso instante en que el poeta tuvo la impresión de que las cumbres luminosas giraban sobre su cabeza como las aspas de un molino de viento, sucedió algo mucho más sorprendente. El viejo y hasta entonces aletargado banquero, se puso de pie con la rapidez de un resorte y se arrojó del vehículo antes de que éste lo lanzase. A primera vista, parecía aquello un suicidio; pero luego se vio que fue una prueba de que mantenía muy vivo el instinto de conservación. Aquel hombre era evidentemente más ágil y más sagaz de lo que Muscari suponía, pues fue a caer en un punto que parecía mullido de césped, ex profeso para recibirlo. Todos los demás tuvieron igual suerte, pero cayeron con menos dignidad. Es que bajo aquella revuelta del camino había una especie de prado con la tierra esponjosa arrastrada de las vertiente, que más parecía una falda maternal de terciopelo y adornada de flores, y allí fueron a parar, ya saltando, ya rodando, sin grave daño para nadie, mientras el carruaje parecía colgado en el camino y los caballos se debatían penosamente en la pendiente. El primero en sentarse fue el desmedrado cura, que se rascó la cabeza, poniendo cara de asombro. Frank Harrogate le oyó murmurar para sí mismo:

—¿Por qué demonios habremos caído precisamente aquí?

Viendo los objetos que le rodeaban, se puso a parpadear como si no comprendiese y recogió su tosco paraguas. Junto a éste vio el ancho sombrero de Muscari, al lado de una carta sellada de negocios que, después de leer el nombre del destinatario, entregó al viejo Harrogate. Al otro lado vio la sombrilla de miss Ethel, hundida en la hierba, junto a una curiosa botella que escasamente tendría dos pulgadas de largo. El sacerdote la cogió, en un momento la destapó con disimulo, la olió, y su cara saludable se tornó del color de la arcilla.

—¡Dios nos libre! —murmuró—. ¡No puede ser de ella! ¿Es posible que se haya anticipado su hora de aflicción? Se metió la botella en el bolsillo mientras se decía:

—Creo que estoy justificado, hasta que conozca mejor este asunto.

Miró con pena a la muchacha, que en aquel momento se levantaba de entre las flores, ayudada por Muscari, quien decía:

—Hemos caído en el cielo. Buena señal. Los mortales suben y caen; sólo los dioses y las diosas pueden caer hacia arriba.

Se levantó ella de aquel mar de colores, tan bella y dichosa, que las sospechas del sacerdote se debilitaron en gran manera.

«Después de todo —pensó—, quizás el veneno no sea de ella; acaso sea una treta melodramática de Muscari.»

Muscari dejó en pie a la dama, le hizo una ridícula y teatral reverencia, y empuñando el machete que traía bajo la capa, cortó las correas que sujetaban los caballos, los cuales se levantaron y quedaron inmóviles y temblorosos sobre la hierba.

No bien había hecho todo esto, ocurrió una cosa notable. Un hombre de aspecto pacífico, pobremente vestido y extrañamente atezado, salió de los matorrales y se hizo cargo de las bestias. Llevaba al cinto un puñal afilado y de ancha hoja y no presentaba otra particularidad más que su súbita aparición. El poeta le preguntó quién era, y no contestó.

Al volver la mirada al confuso grupo que iba saliendo del susto, en el hueco de la montaña, Muscari descubrió a otro hombre de curtido rostro, que con un arma corta bajo el brazo, los estaba vigilando desde el otro extremo, apoyados los codos en la hierba. Entonces levantó los ojos a la carretera, por donde habían caído, y vio apuntadas contra ellos otras cuatro carabinas manejadas por cuatro hombres de tez morena y ojos que brillaban en su inmovilidad.

—¡Los bandidos! —exclamó Muscari con un grito de gozo incomprensible—. ¡Hemos caído en una trampa! Ezza, si quieres hacerme el favor de disparar contra el cochero, aún podremos salir de aquí. No son más que seis.

—El cochero —contestó Ezza sin moverse y con las manos en el bolsillo— no es otro que el criado de Mr. Harrogate.

—Motivo de más para que le pegues dos tiros —gritó el poeta, perdiendo la paciencia—, pues se ha dejado sobornar para traicionar a su amo. Pon a la dama en medio y nos abriremos paso de una embestida.

Y avanzó en aquel charco de matas y de flores, con arrojado denuedo, contra las cuatro carabinas; pero viendo que nadie le seguía más que el joven Harrogate, se volvió blandiendo su alfanje para animar a los otros. El guía continuaba impertérrito con las manos en los bolsillos, y su cara atezada de italiano parecía más estirada a la luz de la tarde.

—Me creías, Muscari, un fracasado entre tus compañeros de colegio —le gritó—, mientras te considerabas una celebridad. Pero has de saber que mis éxitos exceden a los tuyos y que yo he alcanzado un puesto más descollante en la historia. Mientras tú escribías poemas épicos, yo los he vivido.

—¡Vamos ya, te digo! —tronó Muscari—. ¿Vas a estar diciendo tonterías sobre ti mismo, con una mujer a quien defender y tres hombres dispuestos a ayudarte? ¿Quién eres tú?

—Soy Montano —gritó el extraño guía con voz potente—. Soy el Rey de los Ladrones, y os doy a todos la bienvenida a mi morada de verano.

Aún estaba hablando, cuando salieron de entre los matorrales otros cinco hombres armados. Uno de ellos tenía un papel grande en la mano.

—Este nidito donde ahora nos vemos reunidos —continuó el bandido con su sonrisa complaciente y siniestra— y las cuevas que están debajo de él, reciben el nombre de Paraíso de los Bandidos. Es mi mejor fortaleza de estas montañas, pues, como habrán ustedes notado, el nidal es tan invisible desde la carretera como desde el valle. Es algo más que inexpugnable, es invisible. Aquí vivo la mayor parte del tiempo y aquí moriré sin duda, si algún día me veo acorralado por los gendarmes. No soy de esos criminales que se reservan la defensa, sino de los que se reservan el último tiro.

Todos lo miraron como paralizados y enmudecidos por un rayo, todos menos el padre Brown, que lanzó un profundo suspiro de alivio y acarició con los dedos la botellita de su bolsillo.

—¡Gracias a Dios! —murmuró—. Eso ya es más probable. El veneno pertenece al capitán de ladrones, desde luego. Debe llevarlo para no caer en manos de la justicia.

El rey de los ladrones prosiguió su discurso en el mismo tono de siniestra cortesía:

—Sólo me falta explicar a mis huéspedes las condiciones con que tendré el gusto de hospedarlos. No tengo que dar explicaciones acerca del viejo ritual referente al rescate, que me veo en la obligación de conservar, pero no quiero aplicarlo más que a parte de la compañía. El reverendo padre Brown y el célebre signor Muscari quedarán en libertad mañana, a la hora del alba, y serán escoltados por mi gente hasta los puestos avanzados. Los poetas y los curas, si me perdonan la sencillez de expresión, nunca tienen dinero. Y puesto que es imposible sacar de ellos ningún provecho, permítanme aprovechar la ocasión para manifestar nuestra admiración a la literatura clásica y nuestra reverencia a la Santa Iglesia.

Hizo una pausa, acompañándose de una sonrisa que nada tenía de agradable, y el padre Brown se quedó contemplándolo con ojos parpadeantes y, de pronto, se puso a escucharlo con especial atención. El capitán de bandidos tomó el papel que le alargó su ayudante y, pasando la vista sobre el escrito, siguió diciendo:

—Por lo que a los demás respecta, mis propósitos están claramente expuestos en este documento que voy a firmar al instante y que después será pegado a un árbol en las afueras de todas las aldeas del valle y en todas las encrucijadas de la sierra. No quiero cansarles con mi palabrería, puesto que luego podrán leerlo. Mi bando dice en resumen lo siguiente: Hago saber, en primer lugar, que me he apoderado del millonario inglés, el opulento banquero, Mr. Samuel Harrogate. Anuncio luego que he hallado en su cartera dos mil libras en billetes y valores, que me ha entregado; y como sería una verdadera inmoralidad engañar a la gente sencilla y crédula, si esto ocurriese, le invito a poner en obra la entrega sin perder tiempo, es decir: invita a Mr. Harrogate a que me entregue ahora mismo las dos mil libras que lleva en el bolsillo.

El banquero lo miraba cejijunto y arisco, pero acobardado en apariencia. Su caída desde el coche parecía haber acabado con todo su valor.

Mantuvo una actitud de perro amenazado, mientras su hijo y Muscari se habían portado como unos valientes, en su primer impulso por romper el lazo que los bandidos les tendieran. Con mano temblorosa sacó del bolsillo un fajo de papeles y de sobres y los alargó al bandido.

—¡Magnífico! —gritó el forajido con alegría—. Ya estamos entendidos. Continuaré, pues, resumiendo los puntos de mi bando, que pronto ha de ser publicado en toda Italia. El tercer extremo se refiere al rescate. Pido a los amigos de la familia Harrogate un rescate de tres mil libras, aunque considero irrisorio y casi un insulto tasar en tan poco a una familia de tanta importancia. ¿Quién no pagaría el triple por poder volver a asociarse con persona tan distinguida? No ocultaré que el documento termina con ciertas frases de rigor sobre cosas desagradables que pueden pasar si no se paga el dinero; pero, no obstante, señoras y caballeros, puedo asegurarles que estarán aquí con toda clase de comodidades, sin que falten vinos y cigarros de todas las marcas, y caballerosamente les ofrezco la lujosa morada del Paraíso de los Bandidos.

Mientras hablaba, habían ido apareciendo tantos hombres armados de dudoso aspecto y con el sombrero muy echado por delante, que el mismo Muscari hubo de reconocer la imposibilidad de luchar con éxito contra aquella fuerza. Volvió la mirada y vio que la muchacha estaba al lado de su padre, a quien trataba de consolar y de animar, a que su amor filial era tan fuerte o más fuerte aún que la gozosa emoción que le producía aquel suceso.

Muscari, con la falta de lógica de un amante, se disgustó al ver aquellas demostraciones de cariño filial, sin dejar de admirarlas. Envainó su espada y contoneándose, fue a sentarse con cara adusta en uno de los bancos que formaban las protuberancias del terreno con su damasco de hierba.

A pocos pies permanecía sentado el sacerdote, a quien volvió Muscari su nariz aguileña con enojo.

—¡A ver si aún dirá que soy un romántico! —dijo el poeta, con aspereza—. ¡Qué! ¿Hay todavía bandidos en la montaña?

—Podría ser —contestó el padre Brown, ambiguamente.

—¿Qué quiere decir? —preguntó el otro con viveza.

—Que estoy intrigado —replicó el sacerdote—. Me intriga ese Ezza o Montano o como se llame. Me parece mucho más enigmático como bandido que como guía.

—¿Y por qué? —insistió el otro—. ¡María Santísima! Creo que el bandido habló bien claro.

—Se me ofrecen tres curiosas dudas —dijo el cura con voz calmosa—. Me gustaría saber su opinión respecto a ellos. En primer lugar, he de decirle que merendé en aquel restaurante que está a orillas del mar. Al salir ustedes cuatro a la sala, usted y miss Harrogate se adelantaron, hablando y riendo, mientras el banquero y el guía seguían detrás conversando en voz baja, pero no tanto que no pudiera yo oír estas palabras pronunciadas por Ezza: «Bueno, déjela que se divierta; ya sabe usted que el golpe puede aniquilarla de un momento a otro.» Mr. Harrogate no contestó, de modo que aquellas palabras debían de tener algún significado. En el impulso del momento me acerqué al hermano de ella para advertirle que su hermana podía estar en peligro. Nada le dije respecto a la índole del peligro, porque no sé en qué puede consistir; pero si se refería a esta detención en las montañas, no encuentro el sentido de la cosa. ¿Cómo podía el guía bandido avisar a su patrono ni con una mera insinuación, si tenía el proyecto de hacerlo caer en una ratonera? Seguramente no se refería a esto. Y en tal caso, ¿cuál será esa otra calamidad, conocida por el banquero y el guía, que se cierne sobre la cabeza de miss Harrogate?

—¡Una calamidad sobre miss Harrogate! —exclamó el poeta, irguiéndose como una fiera—. ¡Explíquese, pronto!

—Todas mis dudas giran en torno a nuestro capitán de ladrones —continuó el sacerdote—. Y he aquí la segunda: ¿Por qué hizo constar tan claramente en su demanda de rescate que había recibido dos mil libras de su víctima, en el acto? Con esto no contribuye en modo alguno a que llegue el rescate. Al contrario, los amigos de Harrogate temerían mucho más por su suerte sabiendo que los bandidos son pobres y se hallan en gran necesidad. Pero el despojo en el acto se recalca y aun se antepone a la demanda. ¿Por qué desearía Ezza Montano pregonar ante toda Europa que se ha apoderado de la cartera antes de exigir el rescate?

—No puedo imaginarlo —dijo Muscari, echándose hacia atrás las greñas, sin afectación por vez primera—. Usted cree que me ilustra, pero no hace más que hundirme en el limbo. ¿Cuál podrá ser el tercer argumento contra el rey de los ladrones?

—La tercera objeción es este margen en que nos sentamos —dijo el sacerdote reflexivamente—. ¿Por qué ha de llamar a esto su mejor fortaleza y el Paraíso de los Bandidos, cuando no es más que un sitio blando donde poder caer y un hermoso paraje que admirar? Cierto que es invisible desde el valle y desde la cima, y que por lo tanto es un rincón escondido. Pero no es una fortaleza. Creo que sería la peor fortaleza del mundo, ya que se domina por arriba desde la carretera que serpentea por la montaña, por donde probablemente pasará la Policía. Cinco carabinas viejas nos tienen indefensos hace media hora. Un grupo de soldados de cualquier arma podría arrojarnos por el precipicio. Este paraje tan lleno de flores puede ser cualquier cosa menos una posición atrincherada. Pero algo debe de tener. Sin duda, tiene un valor que no comprendo. A mí me parece un teatro improvisado o una sala verde natural; un escenario para representar una comedia romántica, un...

Mientras el sacerdote daba rienda suelta a su fantasía, Muscari, cuyos sentidos estaban aguzados y atentos, oyó un ruido nuevo que llegaba de los lejanos repliegues de la montaña, y aunque el ruido no era más que un rumor sordo que subía envuelto en la brisa de la tarde, hubiera jurado que se trataba de golpes de herradura como de caballos a galope, y de una distante gritería.

Al mismo tiempo, y mucho antes que las vibraciones del aire hiriesen los oídos más embotados de los ingleses, Montano trepó por el declive hasta el borde del camino, y apoyado en el tronco de un árbol escudriñó la carretera que se retorcía por la falda de la montaña. Ofrecía un aspecto pintoresco y estrafalario con su gran sombrero de fieltro y el machete que le colgaba del tahalí, como cuadra a un capitán de bandidos.

No tardó en volver su rostro aceitunado y burlesco para hacer un majestuoso ademán. Obedeciendo a esta señal, los bandidos se diseminaron, no en desorden, sino en disciplinada guerrilla, y en vez de ocupar la carretera a lo largo del borde, buscaron escondites entre los matorrales y tras los árboles, como si se ocultaran de un enemigo. De abajo llegaba el ruido de un tropel que subía por la carretera a la montaña y ya se percibía con toda claridad una voz de mando. Los bandidos se fueron concentrando entre maldiciones y murmullos, y el aire de la tarde crepitó de ruidos metálicos al amartillar ellos las pistolas, abrir las navajas y arrastrar las vainas sobre las piedras. Luego se confundieron los ruidos de ambas partes: ramas rotas, relinchos de caballo, gritos de hombres.

—¡El rescate! —gritó Muscari, levantándose de un brinco y agitando su sombrero—. Los gendarmes caen sobre ellos. ¡Luchemos por la libertad! ¡Alcémonos contra los ladrones! ¡Vamos, no dejemos todo el trabajo a la Policía, que ésa es la moda detestable! ¡Ataquemos a los rufianes por la espalda! Los gendarmes vienen a rescatarnos. ¡Vamos amigos, rescatemos nosotros a los gendarmes!

Y arrojando el sombrero por encima de los árboles, empuñó el arma y se lanzó a la pendiente para ganar la carretera. Frank Harrogate se levantó y corrió tras él dispuesto a secundarle, revólver en mano, pero se detuvo como paralizado al oírse llamado con voz imperiosa y ronca por su propio padre, que parecía vivamente excitado.

—¡No quiero! —gritaba el banquero con voz entrecortada—. Te ordeno que no te inmiscuyas.

—Pero, padre —replicó Frank acaloradamente—, un caballero italiano ha tomado la iniciativa. No querrás que se diga que un inglés vuelve la espalda.

—Es inútil —dijo el viejo, que temblaba violentamente—. Hemos de someternos al Destino.

El padre Brown miró al banquero, e instintivamente se llevó la mano al corazón, pero en realidad al frasco del veneno. Sus ojos se iluminaron de nueva luz, como si por ellos pasara la revelación de la muerte.

Muscari, entretanto, sin esperar ayuda de nadie, llegó a la carretera y dio al rey de los bandidos tan formidable golpe en la espalda que le hizo tambalearse. Montano tenía desenvainado su machete, y sin más explicaciones Muscari le tiró un tajo a la cabeza, que el otro tuvo que parar y rechazar, y aun con los aceros cruzados, el rey de los bandidos bajó la punta del suyo, mientras decía riendo:

—¿Por qué te lo tomas tan a pechos, amigo? Esta maldita farsa pronto acabará.

—¿Qué quieres decir, embustero? —gritó el poeta, echando fuego por los ojos—. ¿Está tu valor a la altura de tu honradez?

—Todo en mí está a la misma altura —contestó el ex guía de buen humor—. Soy un cómico, y si alguna vez he tenido un carácter propio, lo he olvidado. Ni soy un verdadero bandido ni era un guía verdadero. No soy más que un fardo de máscaras con el que no puedes batirte en duelo.

Se echó a reír como un niño y volvió a su actitud indiferente, de espaldas a la refriega que ascendía por la carretera. La montaña estaba ya envuelta en sombras y era imposible discernir el progreso de la lucha. Sólo se veían unos jinetes de buen tipo que dirigían los caballos hacia una grupo de bandidos, que parecían más decididos a fatigar y evitar a sus enemigos que a matarlos. Daban la impresión de un grupo de ciudadanos empeñados en impedir el paso a la Policía, y no la de la última banda de salteadores de caminos y forajidos, dispuestos a vender cara su vida. Muscari contemplaba la escena con la mayor perplejidad cuando sintió que le tocaban la espalda, y se encontró con el extraño sacerdote, que le pedía el favor de unas palabras.

—Signor Muscari —dijo el clérigo—, en momentos críticos como el presente pueden perdonarse las alusiones. No tome a mal si le indico que usted puede hacer algo mejor que ayudar a los gendarmes, que en todo caso están obligados a entendérselas con esta gente. Perdone que me meta en intimidades, pero ¿quiere usted a esa muchacha? Quiero decir si la ama bastante para casarse con ella y ser un buen marido.

—Sí —contestó simplemente el poeta.

—¿Le corresponde ella?

—Creo que sí —contestó el poeta con la misma seriedad.

—Entonces acérquese a ella y ofrézcale —dijo el sacerdote— cuando pueda; dígale que le daría el cielo y la tierra si los tuviese. No pierda usted el tiempo.

—¿Por qué? —preguntó, sorprendido, el hombre de letras.

—Porque —dijo el padre Brown— su perdición está acercándose por la carretera.

—Nada se acerca por la carretera —replicó Muscari— más que el rescate.

—Vaya usted a su lado —le aconsejó el cura— y apresúrese a rescatarla del rescate.

Apenas acababa de hablar, el grupo de bandidos se diseminó en todas direcciones, refugiándose en los matorrales como hombres perseguidos, mientras los gendarmes seguían adelante, atravesando por las filas rotas. Se oyó otra voz de mando, seguida del ruido de muchos hombres que desmontaban, y un oficial con perilla gris y un papel en la mano apareció en el portillo natural que era la única entrada al Paraíso de los Bandidos. Se hizo un repentino silencio, que rompió de inesperada manera el banquero gritando, con voz ronca y entrecortada:

—¡Robado! ¡Me han robado!

—¡Pero si hace horas de eso! —exclamó su hijo, muy sorprendido—. Ya sabemos que te han robado dos mil libras.

—No me han robado dos mil libras —replicó el hombre de negocios, enfurecido—. Me han robado una botellita.

El guardia de la perilla gris se acercó caminando embarazosamente por la crecida hierba. Al pasar junto al rey de los ladrones lo asió por la espalda, de modo que aquello lo mismo podía ser una caricia que un zarpazo, y dándole un empujón lo apartó con violencia, mientras decía:

—Vas a tener un disgusto si continúas con estos trucos.

A los ojos del artista Muscari, apenas podía ser aquello la manera de capturar a un forajido acorralado, ya que la Policía pasó de largo, y deteniéndose ante el grupo que formaba la familia del banquero, dijo:

—Samuel Harrogate, queda usted detenido en nombre de la ley por desfalco de los fondos del Banco Hcil y Hudderfield.

El gran banquero movió la cabeza con aire de asentimiento, propio de un hombre de negocios; pareció reflexionar un momento, y sin que nadie pudiera impedirlo dio media vuelta y de un salto se puso en el borde del precipicio. Luego, levantando los brazos, dio un brinco como cuando se arrojó del coche.

Pero no cayó esta vez en un prado blando de hierba; cayó a una profundidad de mil pies para quedar en el valle hecho un guiñapo.

La cólera que el oficial italiano expresó al padre Brown tenía mucho de admiración:

—Siempre he temido que al fin se nos escaparía. Era un perfecto bandido, si usted quiere. No creo que este último ardid suyo tenga precedentes. Se embarcó con los fondos para Italia e ideó hacerse secuestrar por falsos bandidos a quien él mismo pagaba, para justificar así la desaparición del dinero y de su persona. Hace años que inventaba cosas por el estilo. Será una pérdida irreparable para su familia.

Muscari se alejaba ya con la desgraciada hija que se agarraba a él como años atrás se había agarrado a otros. Pero a pesar del momento trágico, el poeta aún tuvo una sonrisa burlona y un apretón de manos para el inofensivo Ezza Montano.

—¿Y dónde irás ahora? —le preguntó, volviendo la cabeza.

—A Birmingham —contestó el actor chupando un cigarrillo—. ¿No te dije que era un hombre avanzado? Si creo en algo, es en estas cosas. Novedades, ruido y movimiento cada día. Iré a Manchester, Liverpool, Leeds, Hull Huddersfield, Glasgow, Chicago; en fin, al mundo culto, activo y civilizado.

—En fin —dijo Muscari—, el verdadero Paraíso de los Bandidos.

## III

## EL DUELO DEL DOCTOR HIRSCH

Los señores Maurice Brun y Armand Armagnac cruzaban los soleados Campos Elíseos con mesurada vivacidad. Los dos eran de corta estatura, animosos y audaces. Los dos llevaban barbas negras que no correspondían a su rostro, porque seguían la moda francesa, empeñada en darle al pelo un aire de artificio. La barba del señor Brun parecía pegada bajo el labio inferior, y para variar, la del señor Armagnac estaba partida por la mitad y semejaba dos manojos de pelo pegados a cada carrillo. Entrambos eran jóvenes, jóvenes y ateos, con una firmeza de miras deprimente, pero gran movimiento de alardes. Los dos eran discípulos del doctor Hirsch, gran hombre de ciencia, publicista y moralista.

Monsieur Brun había alcanzado celebridad por su propuesta de que la expresión común «Adiós» se borrase de todos los clásicos y se impusiese una pequeña multa a cuantos la usasen en la vida privada. «Pronto —decía— dejará de sonar en los oídos del hombre el nombre de Dios que habéis imaginado.» Monsieur Armagnac se especializaba en combatir el militarismo, y pretendía que el coro de la Marsellesa se modificase de modo que «A las armas, ciudadano» quedase convertido en «A las tumbas, ciudadano». Pero su antimilitarismo era peculiar y tenía mucho de francés. Un eminente y acaudalado cuáquero inglés que fue a verle para hablarle del desarme de todo el mundo, se quedó sorprendido cuando le propuso Armagnac que, para empezar, los soldados habían de disparar contra los oficiales.

En este aspecto diferían principalmente los dos amigos de su director y maestro en filosofía. El doctor Hirsch, aunque nacido en Francia y dotado de todas las virtudes propias de la educación francesa, era, por temperamento, de otro tipo: suave, idealista, piadoso, y a pesar de su sistema escéptico, no exento de trascendentalismo. Se parecía, en fin, más a un alemán que a un francés; y aunque lo admiraban mucho, en la subconsciencia de aquellos franceses había cierto resquemor por la manera pacífica que tenía de propagar el pacifismo. Para sus partidarios del resto de Europa, sin embargo, Paul Hirsch era un santo de la ciencia. Su austera y atrevida teoría del cosmos pregonaba su vida austera y su moralidad de hombre puro, aunque algo frío. En él se armonizaban la posición de Darwin y la de Tolstói, pero no era anarquista ni antipatriota. Sus doctrinas sobre el desarme eran moderadas y evolucionistas. El mismo Gobierno de la República ponía gran confianza en él respecto a varios adelantos químicos. Su último descubrimiento fue una pólvora sin ruido o pólvora sorda, cuyo secreto guardaba cuidadosamente el Gobierno.

Estaba su casa en una bonita calle, cerca del Elíseo, calle que en pleno verano parecía tan densa de follaje como el mismo parque. Una hilera de castaños interceptaban el sol en toda la calle, menos en un trecho ocupado por un gran café con terraza al aire libre. Casi frente al establecimiento se alzaba la casa blanca, con ventanas verdes, del sabio, por cuyo primer piso corría un balcón de hierro pintado también de verde. Debajo estaba la entrada a un estrecho patio que desbordaba jubilosamente de arbustos y de tilos, y que los dos franceses cruzaron en animada conversación.

Les abrió la puerta Simón, el viejo criado del doctor, que bien podía hacerse pasar por el doctor mismo, con su irreprochable traje negro, sus gafas, su cabello gris y sus maneras reservadas. Realmente, estaba más presentable como hombre de ciencia que su amo, el doctor Hirsch, cuyo cuerpo parecía un tenedor clavado a la patata de su cabeza. Con toda seriedad de un médico que larga una receta, entregó un carta a M. Armagnac. Éste la abrió con la paciencia propia de su raza y leyó apresuradamente lo que sigue:

«No puedo bajar a hablar con ustedes. Hay un hombre en esta casa a quien me he negado a ver. Es un oficial chauvinista, llamado Dubosc. Se ha sentado en la escalera, después de patearme todos los muebles. Me he encerrado en mi despacho, que está frente al café. Si me quieren ustedes, vayan al café y siéntense en una de las mesas de fuera. Procuraré mandarles a ese tipo para que se entiendan con él. Yo no puedo recibirlo. No puedo y no quiero.

»Vamos a tener otro caso Dreyfus.

*P. Hirsch.*»

Monsieur Armagnac miró a M. Brun. Monsieur Brun cogió la carta, la leyó y miró a M. Armagnac.

Luego, los dos se apresuraron a instalarse en una de las mesitas, a la sombra de un castaño, y pidieron dos copas enormes de una terrible absenta verde que, por lo visto, entre ambos podían beber en cualquier época del año y a cualquier hora. El café estaba poco menos que vacío. Sólo había un militar tomando café en una mesa, y en otra un hombre corpulento que bebía un jarabe y un sacerdote que nada bebía.

Maurice Brun aclaró su garganta y dijo:

—Claro que hemos de ayudar al maestro en todos los apuros, pero...

Se hizo un repentino silencio que rompió Armagnac diciendo:

—Puede que tenga motivos fundados para no entrevistarse personalmente con ese hombre, pero...

Antes que pudiera acabar el pensamiento, se hizo patente que el intruso había sido expulsado de la casa de enfrente. Los arbustos que crecían junto a la entrada se agitaron moviéndose a un lado, y el huésped indeseado salió arrojado como una bala de cañón.

Era un tipo robusto, que llevaba un pequeño sombrero tirolés de fieltro y tenía ese aire inconfundible de los tiroleses. Sus hombros eran anchos y macizos pero sus piernas resultaban ligeras con los calzones y las medias de punto. Su cara era morena como una castaña y sus ojos vivarachos, negros y brillantes; sus cabellos negros estaban peinados hacia atrás, dejando ver una frente ancha y poderosa, y llevaba un bigote negro como los cuernos de un bisonte. Una cabeza como aquella descansa generalmente sobre un cuello de toro, pero el cuello se ocultaba en un ancho pañuelo que le llegaba hasta las orejas y se cruzaba bajo la chaqueta, como si fuera un chaleco. Era un pañuelo de colores fuertes, probablemente de fabricación oriental. En conjunto, presentaba aquel hombre un aspecto algo bárbaro, que le daba más aire de señor húngaro que de oficial francés. Pero su acento eran tan puro como el del más castizo y su patriotismo francés rayaba en lo ridículo. Lo primero que hizo al verse en la calle fue gritar con voz de clarín:

—¿No hay por aquí ningún francés? —como si llamase a los cristianos en La Meca.

Armagnac y Brun se levantaron al momento, pero llegaron demasiado tarde. De todas las esquinas acudió corriendo la gente, y en pocos segundos se reunió un grupo, si no muy numeroso, muy apiñado. Con el instinto del francés que conoce el temperamento de los políticos callejeros, el hombre del bigote negro corrió a un lado del café, y en un momento se subió a una mesa desde la cual, asiéndose a la rama de un castaño para mejor guardar el equilibrio, gritó como cuando Camilo Desmoulins desparramó las hojas del roble entre el populacho.

—¡Franceses! ¡No puedo hablar! ¡Dios me protege, y por eso estoy hablando! ¡Los que enseñan a hablar con sus puercos discursos también enseñan a guardar silencio, el silencio que guarda ese espía que se oculta en la casa de enfrente, el silencio con que me ha contestado al golpear la puerta de su dormitorio, el silencio en que se envuelve ahora, aunque oye mi voz a través de la calle y tiembla en su asiento! ¡Ah! ¡Pueden seguir observando un silencio elocuente los políticos! Pero ha llegado la hora en que los que no podemos hablar hemos de hablar. Os está vendiendo a los prusianos. Os está vendiendo ahora mismo. Y el traidor es ese hombre. Yo soy Jules Dubosc, coronel de artillería, en Belfort. Ayer mismo capturamos a un espía alemán en los Vosgos y le encontramos un papel, papel que tengo en mi mano. ¡Ah! Nos lo querían ocultar, pero yo lo he traído en seguida al mismo que lo escribió, que es el que vive en esa casa. Está escrito de su puño y letra y firmado con sus iniciales. Son las instrucciones para encontrar el secreto de esa nueva pólvora sorda. Hirsch la inventó. Esta nota está en alemán y se encontró en el bolsillo de un alemán: «Dígales que la fórmula para la pólvora está en el sobre gris del primer cajón de la derecha de la mesa del secretario, Ministerio de la Guerra, en tinta roja. Mucho cuidado. — *P. H.*»

Añadió algunas frases cortas y contundentes como disparos, pero se veía bien claro que aquel hombre, o estaba loco, o decía la verdad. La mayor parte de los reunidos eran nacionalistas y gritaban ya amenazadores, y la oposición de algunos intelectuales, a cuya cabeza estaba Armagnac y Brun, sólo contribuyó a que la mayoría se mostrase más intransigente.

—Si es un secreto militar —gritó Brun—, ¿por qué lo revela usted a gritos en la calle?

—¡Le diré por qué lo hago! —bramó Dubosc, dominando el vocerío de la multitud—. Fui a ver a ese hombre con carácter particular. Si tenía que darme alguna explicación, podía hacerlo con entera confianza. Se ha negado a explicarse en absoluto y me ha remitido a dos desconocidos que estaban en un café, como a dos lacayos. ¡Me ha arrojado de su casa, pero volveré a entrar en ella con el pueblo de París tras de mí!

Un griterío formidable estremeció la fachada de la casa y dos piedras volaron por el aire, rompiendo una de ellas un cristal del balcón. El indignado coronel desapareció otra vez por el portal y se oyeron sus gritos escandalizando el interior de aquella morada. La multitud aumentaba por momentos, rugía y amenazaba, y ya parecía irremediable que tomase por asalto aquel edificio como otra Bastilla, cuando se abrió una de las puertas del balcón y apareció el mismo doctor Hirsch. Por un momento el furor de la muchedumbre se convirtió en risa al ver aquel tipo ridículo en escena.

Su cuello largo y lo abatido de sus hombros le daban la semejanza de una botella de champaña, y no era ésta su única nota cómica. Le colgaba la capa como de una percha, llevaba descuidados sus cabellos color zanahoria, y su cara estaba enmarcada por una de esas barbas antipáticas que pasan por muy debajo de la boca. Estaba muy pálido y escondía sus ojos tras gafas azules.

Aunque parecía inmutado, habló con acento de tan serena decisión, que hizo enmudecer al populacho a la tercera frase.

—... Sólo dos cosas que deciros por el momento. La primera es para mis enemigos; la segunda, para mis amigos. A mis enemigos les digo: es verdad que no quiero recibir al señor Dubosc, a pesar del escándalo que en este momento está armando a la puerta de mi despacho. Es verdad que he rogado a dos señores que se las entiendan con él en mi nombre. ¡Y os diré por qué! Porque no quiero ni debo recibirle, pues sería esto quebrantar los principios de la dignidad y del honor. Antes que pueda justificarme ante los tribunales, apelaré a un recurso que habrá de aceptarme como caballero, y al remitirlo a mis padrinos obro estrictamente...

Armagnac y Brun agitaron los sombreron como dos locos, y hasta los enemigos del doctor aplaudieron como energúmenos al oír el inesperado desafío, ahogando en sus aclamaciones unas cuantas frases del orador, que luego siguió diciendo:

—Y a mis amigos: en cuanto a mí, preferiré luchar con las armas de la inteligencia, que serán las únicas que decidirán las contiendas de la Humanidad verdaderamente avanzada. Pero hoy todavía se funda la preciosa verdad en la fuerza material y hereditaria. Mis libros han obtenido indiscutible éxito; nadie ha refutado mis doctrinas, pero en política estoy sufriendo los prejuicios tan arraigados en Francia. No puedo hablar como Clemenceau y Déroulède, cuyas palabras suenan como pistoletazos. Los franceses se entusiasman con el duelista como los ingleses con el deportista. Está bien; acepto la prueba; pagaré mi tributo a esta costumbre bárbara y volveré a la razón para el resto de mi vida.

Inmediatamente salieron del gentío dos hombres dispuestos a ofrecer sus servicios al coronel Dubosc. Uno resultó ser el militar que estaba en el café, que dijo sencillamente: «Me pongo a sus órdenes, señor. Soy el duque de Valognes.» El otro era el hombre corpulento a quien su amigo el sacerdote trató al principio de disuadir, aunque luego se marchó solo.

A primeras horas de la tarde se servía una ligera comida en la parte posterior del café de Carlomagno, cuyas mesas se ponían a la sombra de los árboles. A una de las más céntricas se sentaba un sacerdote bajito y rechoncho, que se aplicaba con la más seria satisfacción a un plato de boquerones. Aunque llevaba de ordinario una vida sencilla y austera, de vez en cuando le gustaba regalarse con algún plato exquisito. Era un epicúreo moderado. Comía sin levantar la vista del plato, ante el cual se alineaban ordenadamente otros platos con pimientos, pan moreno y manteca, etcétera, hasta que se proyectó una gran sombra sobre la mesa y su amigo Flambeau se sentó al otro lado. Flambeau estaba sombrío.

—Temo que habré de abandonar este asunto —dijo, como si aquello le preocupase enormemente—. Estoy de parte de los soldados franceses como Dubosc y contra los ateos como Hirsch; pero creo que en esta ocasión nos hemos equivocado. El duque y yo pensamos que sería conveniente investigar el fundamento de las acusaciones, y he de decir que me alegro de haberlo hecho.

—¿Es, pues, una falsificación el papel? —preguntó el sacerdote.

—Aquí está precisamente lo extraño —contestó Flambeau—. La letra es exactamente igual que la de Hirsch, y nadie podría engañarse respecto a esto. Pero no ha sido escrita por Hirsch. Si es un patriota francés, no ha escrito él una información destinada a los alemanes. Y si es un espía alemán, tampoco lo ha escrito él, porque no proporciona informe alguno a los alemanes.

—¿Quiere usted decir que el informe es falso? —preguntó el padre Brown.

—Falso —contestó el otro—, y falso precisamente en aquello que el doctor Hirsch podía ser veraz; en lo del lugar donde se guarda su propia fórmula secreta, en su propio departamento oficial. Por especial favor de Hirsch y de las autoridades, se nos ha permitido ver el cajón secreto donde se guarda la fórmula del doctor en el Ministerio de la Guerra. Somos los únicos que lo han visto, aparte del mismo inventor y del ministro de la Guerra; pero el ministro nos lo permitió para evitar que Hirsch se batiese en duelo. Después de esto, no podemos apadrinar a Dubosc, si su revelación no es más que agua de borrajas.

—¿Y lo es? —preguntó el cura.

—Lo es —dijo su amigo con amargura—. Es una burda falsificación de quien nada sabe del verdadero escondite. Dice que el papel se halla en el armario de la derecha de la mesa del secretario. En realidad, el armario con el cajón secreto está un poco a la izquierda de la mesa del secretario. Dice que el sobre gris contiene un extenso documento escrito en tinta roja. No está escrito es tinta roja, sino en tinta negra. Es ridículo decir que Hirsch se haya podido equivocar respecto a un papel que nadie más que él reconoce, o que haya tratado de ayudar a un ladrón extranjero haciéndole revolver un cajón en el que nada podía encontrar. Creo que debemos dejar esto y presentar nuestras extensas excusas al doctor.

El padre Brown parecía cavilar, y preguntó mientras asía con el tenedor otro boquerón:

—¿Está usted seguro de que el sobre gris se halla en el armario de la izquierda?

—Segurísimo —contestó Flambeau—. El sobre gris... en realidad, era blanco, estaba...

El padre Brown dejó el tenedor y el plateado pescado y se quedó mirando fijamente a su compañero.

—¿Qué? —preguntó con voz alterada.

—¿Cómo, qué? —repitió Flambeau, tragando con apetito.

—Que no *era* gris —dijo el sacerdote—. Flambeau, no me asuste.

—¿Por qué ha de asustarse?

—Me asusta el sobre blanco —explicó el otro, muy serio—. ¡Si al menos hubiera sido gris...!, pero si es blanco, todo este negocio está muy seguro. El doctor se ha metido en un berenjenal, después de todo.

—¡Pero le repito que no puede haber escrito él semejante nota! —gritó Flambeau—. La nota es falsa respecto a los hechos, e, inocente o culpable, el doctor Hirsch los conocía perfectamente.

—El que escribió la nota conoce todos los hechos —dijo secamente el clérigo—. Nadie sería capaz de falsificarlos tanto sin conocerlos. Hay que saber mucho para mentir en todo, como el diablo.

—¿Quiere decir...?

—Quiero decir que el hombre que miente a la ventura dice alguna verdad. Suponga usted que alguien le mandara en busca de una casa con puerta verde y ventana azul, con jardín delante, pero sin jardín detrás, con un perro, pero sin gato, y en donde se bebe café, pero no té. Dirá usted que si no encuentra esa casa, todo era una mentira. Pero yo digo que no. Yo digo que si encuentra usted una casa cuya puerta sea azul y cuya ventana sea verde; que tenga un jardín detrás y no lo tenga delante; en que abunden los gatos y se ahuyente a los perros a escobazos; donde se beba té a todo pasto y esté prohibido el café..., podrá estar seguro de haber dado con la casa. Quien le dio las señas debía conocer la casa para mostrarse tan cuidadosamente descuidado.

—Pero ¿qué podría significar esto? —preguntó el comensal.

—No lo concibo —contestó Brown—. No llego a comprender este caso de Hirsch. Mientras sólo fuese el cajón de la izquierda en vez del de la derecha y tinta roja en vez de negra, podría pensar que eran errores causales de un falsificar, como usted dice. Pero tres es un número cabalístico: a la tercera va la vencida, como suele decirse. Que la situación del cajón, el color de la tinta, el color del sobre, se confundan por accidente, no puede ser una coincidencia. No lo ha sido.

—Pues ¿qué ha sido entonces? ¿Una traición? —preguntó Flambeau, continuando su comida.

—Tampoco lo sé —contestó Brown con cara de hombre aturdido—. Lo único que se me ocurre pensar... Jamás comprendí el caso Dreyfus. La prueba moral se me hace más comprensible que cualquier otra clase de prueba. Me rijo por la voz y los ojos de un hombre, por sus gustos y sus repugnancias, por el aspecto de felicidad de su familia. En fin, en el caso de Dreyfus me hacía un embrollo. No por los horrores que se imputaban ambas partes; sé (aunque no sea muy modesto decirlo) que la naturaleza humana, en los puestos más elevados, aún es capaz de dar Gengis y Borgias. No; lo que me desconcertaba era la *sinceridad* de ambas partes. No me refiero a los partidos políticos; la tropa siempre es honesta, y a veces incauta. Quiero decir las personas que entraban en juego. Los conspiradores, si los hubo. El traidor, si lo hubo. Los hombres que *debían* haber sabido la verdad. Dreyfus se conducía como un hombre que *sabe* que es hombre calumniado. Pero los estadistas franceses se portaban como si *supiesen* que no era un hombre calumniado, sino un malvado. No digo que se portasen bien, sino que lo hacían como si estuviesen convencidos de ello. No puedo explicar bien esto; pero sé lo que quiero decir.

—Pero ¿qué tiene que ver todo eso con nuestro Hirsch? —preguntó el otro.

Supongamos que una persona que ocupa un cargo de confianza —siguió diciendo el sacerdote— empieza a dar al enemigo informes porque sabe que son falsos. Supongamos que cree que salva a su país engañando al extranjero. Supongamos que esto lo lleva a centros de espionaje donde se le hacen pequeños préstamos y se encuentra más o menos atado. Supongamos que atolondradamente cambia de postura, no diciendo nunca a los espías extranjeros la verdad, pero permitiéndoles que poco a poco la adivinasen. Siempre podría decir en defensa propia: «Yo no he ayudado al enemigo, dije que era el cajón izquierdo.» Pero sus acusadores podrían decir: «Pero el enemigo podría ser bastante inteligente para comprender que querías decir el derecho.» Creo que esto es admisible psicológicamente en nuestra época de cultura, claro.

—Eso puede ser psicológicamente posible —contestó Flambeau— y explicaría, sin duda, que Dreyfus estuviera convencido de que se le calumniaba mientras sus jueces lo estaban de su culpabilidad. Pero el asunto no pierde por eso nada de su color históricamente, porque el documento de Dreyfus (si era suyo), era, literalmente, correcto.

—Yo no pensaba en Dreyfus —dijo el padre Brown.

Las mesas se habían ido desocupando y había más silencio; ya era tarde, pero aún el sol lo doraba todo, como si hubiese quedado prendido en las copas de los árboles. En el silencio, Flambeau hizo crujir la silla al moverla a un lado y, apoyándose de codos en la mesa, dijo con cierta aspereza:

—Bueno, pues; si Hirsch no es más que un tímido traidor...

—No sea usted con ellos demasiado riguroso —dijo el sacerdote con mansedumbre—. No tienen la culpa; pero carecen de instinto. Me refiero a esa virtud que hace que una mujer se niegue a bailar con un hombre o que un hombre acepte una investidura. Les han enseñado que todo es cuestión de grados.

—Sin embargo —gritó Flambeau, con impaciencia—, no hay mala intención por parte de mi representado, y debo seguir el asunto adelante. Dubosc puede ser un poco loco, pero no deja de ser un patriota.

El padre Brown, siguió comiendo boquerones. La parsimonia con que lo hacía irritó a su amigo, que le dirigió una mirada de fuego y le preguntó:

—¿Qué tiene usted que decir? Dubosc tiene toda la razón, en cierto modo. ¿Dudará usted de él?

—Amigo mío —contestó el sacerdote, dejando el cuchillo y el tenedor con aire de desesperación—, yo dudo de todo. Quiero decir de todo lo que ha pasado hoy. Dudo del hecho mismo, aunque ha ocurrido ante mis propios ojos. Dudo de todo lo que han visto mis ojos desde esta mañana. En este asunto hay algo que se diferencia por completo de los casos ordinarios de Policía, en que media un hombre que miente más o menos y otro que dice más o menos la verdad. Aquí los dos hombres... ¡Bueno! Ya le he dicho que la opinión que yo puedo exponer sobre el caso a nadie satisfaría. Tampoco a mí me satisface.

—Ni a mí —replicó Flambeau, con cara adusta, mientras el otro seguía comiendo pescado con aire de absoluta resignación—. Si no puede usted sugerir más que la opinión de que se trata de un mensaje transmitido por los contrarios, no hay para mí cosa más clara; pero..., ¿cómo llamaría usted a eso?

—Yo lo llamaría flojo —replicó el cura, con viveza—, extraordinariamente flojo. Pero eso es lo más chocante de todo el asunto. La mentira parece la de un muchacho de primeras letras. No hay más que tres versiones: Dubosc, Hirsch y mi idea. Esa nota ha sido escrita o por un funcionario francés para perder a un oficial francés, o por un oficial francés para ayudar a funcionarios alemanes, o por el oficial francés para engañar a funcionarios alemanes. Está bien. Podía esperarse un documento secreto pasando de mano en mano entre esta frente, oficiales o funcionarios, probablemente cifrado, y desde luego, abreviado, seguramente científico y en términos estrictamente técnicos; pero no: se escribe de la manera más sencilla y con un laconismo espantoso: «En la gruta roja hallará el casco dorado.» Parece que..., que quisieran dar a entender que se había de llevar a cabo en seguida.

No pudo seguir aquella discusión, porque, en aquel momento, un individuo, que vestía el uniforme francés, se acercó a la mesa como el viento y se les sentó al lado, de sopetón.

—Traigo noticias extraordinarias —dijo el duque de Valognes—. Vengo de ver a nuestro coronel. Está haciendo las maletas para marcharse y nos ruega que presentemos sus excusas *sur le terrain.*

—¿Cómo? —gritó Flambeau, con acento de incredulidad—. ¿Que le excusemos?

—Sí —contestó el duque, ásperamente—, entonces, y allí mismo, ante todos, cuando ya estén desenvainadas las espadas. Y usted y yo hemos de hacer eso mientras él huye.

—Pero, ¿qué significa esto —gritó Flambeau—. ¿Es posible que tenga miedo de ese enclenque de Hirsch? ¡Diablo! —exclamó con indignación—. ¡Nadie puede temer a Hirsch!

—¡Creo que debe de ser una intriga! —profirió Valognes—: Alguna intriga de los judíos francmasones. Esto redundará en honor y gloria de Hirsch...

El rostro del padre Brown era vulgar, pero expresaba curiosa satisfacción. Brillaba tanto en la ignorancia de una cosa como en la comprensión; pero siempre lo iluminaba un resplandor cuando se le caía la máscara de la estupidez para ser sustituida por la de la inteligencia, y Flambeau, que conocía a su amigo, sabía que en aquel momento lo había comprendido todo. Sin decir nada, Brown acabó finalmente el plato de pescado.

—¿Dónde ha visto usted, últimamente, a nuestro lindo coronel? —preguntó Flambeau, muy enojado.

—En el Hotel Saint Louis, cerca del Elíseo, donde lo dejamos. Le repito que está haciendo las maletas.

—¿Cree usted que estará aún allí? —preguntó Flambeau, con cara sombría.

—No creo que se haya marchado aún —contestó el duque—. Se está preparando para emprender un largo viaje...

—No —atajó el padre Brown, simplemente, pero levantándose resuelto—, para un viaje muy corto. Mejor dicho: para el más corto de los viajes. Pero aún podemos cogerle si montamos en un automóvil.

Ni una palabra más pudieron arrancarle hasta que el coche torció por la esquina del Hotel Saint Louis, donde se apearon, para meterse, por indicación del sacerdote, en una calle estrecha, envuelta en la oscuridad. Cuando el duque preguntó, en su impaciencia, si Hirsch era o no culpable de traición, contestó casi distraído:

—No, sólo de ambición, como César. —Y luego añadió de una manera incoherente—: Lleva una vida muy retraída y solitaria; se lo ha de hacer todo él mismo.

—Pues si es ambicioso, ahora quedará satisfecho —observó Flambeau, con cierta amargura—. Todo París lo proclamará, ahora que el maldito coronel se marcha con el rabo entre las piernas.

—No hable usted tan fuerte —dijo el padre Brown, bajando la voz—; porque su maldito coronel está a la vista.

Todos se aplastaron contra las sombras de la pared, viendo, en efecto, que el robusto coronel caminaba por la calle contigua con una maleta en cada mano. Ofrecía el mismo aspecto estrafalario que cuando lo vieron por vez primera, aun cuando había sustituido sus polainas por unos pantalones corrientes. No podía negarse que se escapaba del hotel.

Lo siguieron por una de esas calles angostas y tristes que dan la impresión del reverso de las cosas o del interior de los escenarios. A un lado se alargaba una pared incolora, rota de vez en cuando por puertas macizas y sucias de barro y de polvo, muy bien cerradas y sin más ornamento que el grotesco dibujo trazado con yeso por algún muchacho transeúnte. Por encima de la tapia asomaban, de vez en cuando, las copas de los árboles, detrás de los cuales podía barruntarse alguna que otra galería perteneciente a grandes edificios parisienses, relativamente cercanos, aunque parecían tan inaccesibles como escarpadas montañas de mármol. Al otro lado de la calleja corría la alta y dorada verja de un parque oscuro. Flambeau miraba todo aquello con especial curiosidad.

—¿Sabe usted —observó— que noto una particularidad en esta calle que...?

—¡Hola! —exclamó el duque—. Ese tipo ha desaparecido. ¡Se ha desvanecido como un maldito duende!

—Tiene una llave —explicó el clérigo—. No ha hecho más que entrar por una de esas puertas.

Y aún hablaba cuando oyeron el golpe de una pesada puerta al cerrarse casi frente a ellos. Flambeau se acercó corriendo a la puerta que así se cerraba en sus propias narices, y se detuvo, atusándose el negro bigote con furiosa curiosidad. De pronto se encogió como un gato, y dando un brinco se subió a la tapia, donde su corpulencia se destacó negra como la copa de un árbol.

El duque se volvió al sacerdote.

—La fuga de Dubosc es más complicada de lo que pensábamos —le dijo—; pero supongo que huye de Francia.

—Huye de todas partes —contestó el padre Brown.

Relumbraron los ojos de Valognes, pero bajó la voz al preguntar:

—¿Cree que va a suicidarse?

—En todo caso no se encontrará el cadáver —replicó el otro.

De lo alto de la pared les llegó una exclamación ahogada de Flambeau, que dijo en francés:

—¡Dios mío! ¡Ahora sé dónde estamos! En la parte de atrás de la casa donde vive Hirsch. Reconocería cualquier casa viéndola por detrás, como a un hombre por la espalda.

—¡Y Dubosc se ha metido ahí! —gritó el duque, golpeándose las caderas—. ¡Después de todo se encontrarán! —con la pronta decisión de un francés saltó la tapia y se sentó con la pierna colgando, presa de viva agitación. El sacerdote se quedó solo abajo contemplando, pensativo, el parque que tenía delante.

Aunque el duque era de suyo curioso, tenía el instinto de un aristócrata y más deseaba mirar la casa que espiar lo que allí pasaba; pero Flambeau, que tenía el instinto de un ladrón escalador de viviendas y de un detective, ya se había colgado de la horca de una rama, por la que trepó hasta muy cerca de la única ventana iluminada, tras la cual se había corrido una cortina encarnada, pero no tan completamente, que no dejase un resquicio a un lado, por la que, inclinándose un poco sobre una rama delgada que apenas podía sostenerle, pudo ver al mismísimo coronel Dubosc en el momento en que entraba a un dormitorio tan lujoso como alumbrado. Y a pesar de que Flambeau estaba muy cerca de la casa, oía la conversación que sus dos compañeros sostenían, en voz baja, junto a la tapia.

—Bien, después de todo, se encontrarán.

—No se encontrarán nunca —replicó el padre Brown—. Hirsch tenía razón al decir que para solventar asuntos como éste, los principales promotores nunca se encuentran. ¿No ha leído usted una historia eminentemente psicológica de Henry James sobre dos personas que por casualidad nunca se encontraron y que acabaron por temerse mutuamente, pensando que aquel era su destino? Éste es un caso parecido, pero más curioso.

—Hay gente en París que los curará de esas fantasías de locos —opuso Valognes, con acento de venganza—. Verá usted cómo se encuentran si los cogemos y obligamos a batirse.

—No se encontrarán ni en el día del juicio —dijo el sacerdote—. Aunque el Dios Todopoderoso los llamase a juicio y San Miguel tocara la trompeta para que se cruzaran las espadas, si se presentaba uno, el otro dejaría de acudir.

—¿Pero qué significa ese misterio? —exclamó el duque, impaciente—. ¿Por qué no se han de encontrar como otra gente cualquiera?

—Porque son opuestos entre sí —contestó el padre Brown, con una sonrisa bondadosa—. Se contradicen mutuamente. Se aniquilan, por decirlo así.

Y siguió mirando a la oscuridad de los árboles,

mientras Valognes volvía la cabeza al oír una ahogada exclamación de Flambeau. Éste, que no quitaba la vista de la habitación alumbrada, acababa de ver cómo el coronel, después de dar unos pasos, procedía a quitarse la chaqueta. Flambeau creyó, de momento, que se trataba de una lucha que iba a empezar; mas pronto comprendió que era otra cosa. La robustez y reciedumbre torácica de Dubosc no era más que rellenos de guata, que desaparecieron con la prenda de vestir. En camisa y pantalones como un esbelto caballero, se dirigió al cuarto de baño sin más propósito hostil que el de bañarse. Se acercó a un lavabo, se secó su cara y manos goteantes y volvió a la zona de luz, que le dio de lleno en el rostro. El color moreno de su piel había desaparecido, el bigote negro había desaparecido; su cara estaba rasurada y palidísima; del coronel no quedaba más que sus brillantes ojos de halcón. Al pie de la tapia, el padre Brown seguía cavilando como en un soliloquio:

—Esto es lo que yo decía a Flambeau. Estos elementos tan opuestos no se dan, no actúan, no luchan. Si es blanco en vez de negro, sólido en vez de líquido, y así hasta agotar la lista, algo va mal, monsieur, algo va mal. Uno de esos hombres es rubio y el otro moreno, uno recio y el otro delgado, uno fuerte y el otro débil. Uno tiene bigote sin barba y no se le puede ver la boca, el otro lleva barba y no le puede ver las mejillas. Uno lleva el pelo cortado al rape, pero también un pañuelo grande que le cubre el cráneo, y el otro lleva caído el cuello de la camisa, pero también el pelo largo que le cubre el cráneo. Todo eso es demasiado limpio y correcto, monsieur, para que haya algo malo. Las cosas tan opuestas no pueden reñir. Cuando la una sale, la otra entra. Como la cara y la máscara, como la cerradura y la llave...

Flambeau no apartaba un momento la vista del interior de la casa y estaba blanco como la cera. El ocupante de la habitación estaba de espaldas a él, pero delante de un espejo, y se había encajado una barba rubia de pelo desordenado, que le daba la vuelta a la cara y le dejaba al descubierto una boca burlesca. Reflejada en el espejo, parecía la cara de Judas, riendo horrendamente entre las llamas del fuego del infierno. Por un momento vio el atónito Flambeau cómo se movían las rubias cejas para quedar ocultas en unas gafas azules. Y envuelto en una bata negra, aquella figura diabólica desapareció por la parte delantera de la casa. Momentos después, un estruendo de aplausos llegados de la calle paralela al callejón, anunciaba que el doctor Hirsch había aparecido otra vez en el balcón.

## IV

## EL HOMBRE DEL PASAJE

Dos hombres aparecieron simultáneamente en los extremos opuestos del pasaje que se abre a lo largo del Teatro Apolo, en el Adelphi. En la calle, la luz de la tarde era copiosa y opalescente. El pasaje era relativamente largo y oscuro, de modo que los dos hombres podían verse como negras siluetas recortadas en la luz de los extremos. Por entrambos, se reconocieron en aquel dibujo a tinta, pues los dos eran de acentuado contorno y se odiaban mutuamente.

El pasaje cubierto se abría por un extremo a las empinadas calles del Adelphi y, por otro, a un terraplén que dominaba el río, colorado por el sol poniente. Un lado del pasaje era una superficie negra, perteneciente al restaurante de un teatro que tuvo que cerrar tras una serie de fracasos. El otro lado del pasaje tenía dos puertas, una a cada extremo. Ni una ni otra era lo que se llama una entrada al escenario, eran puertas privadas, utilizadas exclusivamente por la compañía, y, en el presente caso, por un actor y una actriz que representaban obras de Shakespeare. Artistas tan eminentes, siempre desean tener esas puertas privadas, para recibir amigos o evitarlos.

Aquellos dos señores del caso eran dos amigos que, evidentemente, conocían las puertas y daban por supuesto que se les abrirían; pues los dos se acercaron a la de más arriba con la misma serenidad y confianza, aunque no con la misma velocidad, porque andaba más aprisa el que venía del extremo opuesto del pasaje, de modo que entrambos llegaron casi al mismo tiempo a la puerta secreta. Se saludaron cortésmente y aguardaron un poco, hasta que uno de los dos, el que había llegado más veloz y que parecía impaciente, llamó.

En esto y en todo lo demás, los dos eran distintos, sin que a uno pudiera conceptuárselo inferior al otro. Como individuo, los dos eran apuestos, capacitados y populares. Como personas representativas, entrambos ocupaban primeras filas. Pero todo en ellos, desde su prestigio a su buen aspecto, ofrecía una diferencia inconfundible. Sir Wilson Seymour era de esa clase de hombres importantes a quienes conoce todo aquel que no vive en babia. Cuando más se inmiscuía uno en asunto políticos y profesionales, con más frecuencia se encontraba con sir Wilson Seymour. Era el miembro inteligente de veinte comités faltos de inteligencia, para estudiar los diversos asuntos, desde la reforma de la Real Academia hasta el proyecto de bimetalismo para la Gran Bretaña. En las artes era de un modo especial omnisciente. Tan extraordinario era que nadie podía decir si se trataba de un gran aristócrata conquistado para el arte, o de un gran artista conquistado para la aristocracia. Pero nadie podía hablar con él cinco minutos sin recibir la impresión de haber sido dirigido por él toda la vida.

En su aspecto exterior, se distinguía con la misma fuerza de caso excepcional. La moda no hubiera podido hallar tilde a su chistera, pero ésta no era como cualquiera otra chistera; acaso un poco más alta, para añadir algo a su estatura. Su esbelta talla adolecía de una ligera inclinación, más parecía todo lo contrario de flaqueza. Su cabello gris no daba idea de vejez; lo llevaba más largo de lo corriente, pero no le daba aspecto de afeminado; lo tenía rizado y no lo parecía. Su barba, cuidada y puntiaguda, le daba aire varonil y belicoso, como la de aquellos militares de Velázquez, cuyos cuadros colgaban en las paredes de su casa. Sus guantes grises tiraban más a azul, y su bastón, de puño de plata, era un poco más largo, destacándose de cuantos guantes y bastones se ven por los teatros y restaurantes.

El otro no era tan alto, pero nadie hubiera dicho que era bajo, sino que era fuerte y bien parecido. También tenía el pelo rizado, pero cortado el rape, y una cabeza maciza y grande, una de esas cabezas con las que se derriba una puerta, como cuenta Chaucer de la de Miller. Su bigote y sus cargadas espaldas proclamaban su profesión militar, pero tenía esos ojos de un azul peculiar y de una mirada franca, que son más frecuentes en los marinos. Su rostro era recio, sus carrillos recios, sus espaldas recias, y hasta su chaqueta era recia. En la extremada escuela de la caricatura que estaba en uso, Mr. Max Beerbohm lo hubiera representado como una proposición en el cuarto libro de Euclides.

También era un hombre representativo, pero con diferente éxito. No era preciso haber entrado en la más alta sociedad para haber oído algo del capitán Cutler, del sitio de Hong-Kong y la gran marcha a través de China. No hubierais podido dejar de saber de él doquiera que os hallaseis; su retrato estaba en las postales que recibíais por correo; sus mapas y sus batallas en cualquier revista ilustrada; las coplas en su honor en todos los cafés-concierto y en todos los organillos. Su fama, aunque probablemente más transitoria era diez veces más extensa, más popular y espontánea que la del otro. En miles de casas inglesas se le tenía como una figura enorme, como Nelson. Y, no obstante, tenía en Inglaterra muchísima menos influencia que sir Wilson Seymour.

Les abrió la puerta un criado de edad o «ayuda de cámara», cuyo decadente aspecto y traje oscuro y raído contrastaba vivamente con el esplendor del cuarto de la gran actriz. Todo lleno de espejos, con grandes ángulos de refracción, parecía un enorme diamante de cien facetas, dentro del cual se hallase uno metido. Añadid a esto unas cuantas flores, unos cojines de variados colores, unas cuantas prendas de escena y tendréis un cuadro de las Noches Arábigas, en que al moverse uno se producía un movimiento de multitud, capaz de enloquecer a cualquiera.

Los dos se dirigieron al ayuda de cámara por su nombre, llamándole Parkinson y preguntando por la señora, llamándola miss Aurora Romo. Parkinson dijo que estaba en el otro cuarto, pero que iba a avisarla. Una sombra cruzó la frente de los dos visitantes, pues el otro cuarto era el del gran actor con quien trabajaba miss Aurora, y ésta era de las mujeres que no despierta la admiración sin inflamarla en celos. Pero no había transcurrido medio segundo cuando se abrió la puerta interior y apareció ella como siempre aparecía, aun en la vida privada, de modo que hasta el silencio parecía acogerla con una salva de aplausos, que, por cierto, tenía merecidos. Vestía un traje extraño de satén gris y azul de pavo real, que tenía relumbres metálicos tan apreciados por los chicos y los admiradores del arte, y su copiosa cabellera castaña adornaba uno de esos rostros encantadores de mujer, que tan peligrosos son para todos los hombres, especialmente para los jóvenes y para los que ya peinan canas.

En compañía de su colega, el gran actor americano, Isidoro Bruno, estaba representando una interpretación fantástica y muy poética de «Sueño de una noche de verano», donde tenían papeles preminentes Oberón y Titania, o sea Bruno y ella. Ejecutando danzas místicas ante la exquisita decoración del escenario, sus ropas grises, con vislumbres de alas de abejas, daban la ilusión de estar viendo a la reina de las hadas. Pero cuando se presentaba vestida de calle, los hombres no tenían ojos más que para su rostro.

Saludó a los dos señores con aquella sonrisa alegre y desconcertante que retenía a tantos hombres a una distancia no menos peligrosa de ella. Aceptó unas flores de Cutler, que eran tan exóticas y costosas como sus batallas; y otro obsequio que sir Wilson Seymour le ofreció con más indiferencia, porque ni su educación le permitía mostrarse vehemente ni su extraordinaria corrección ofrecer una cosa tan corriente y vistosa como las flores. Dijo que había cogido una bagatela, un objeto raro; era un antiguo puñal griego de la época de Micenas, y que bien podía pertenecer al tiempo de Teseo e Hipólita. Era de bronce, como todas las armas de los tiempos heroicos, pero bastante afilado para dejar a cualquiera en el sitio. Lo había adquirido, atraído por la forma de hoja que tenía, y era tan perfecto como un vaso helénico. Si le interesaba a miss Romo o podía lucirlo en alguna obra de teatro, esperaba que...

La puerta interior se abrió y apareció una enorme figura que contrastaba más con el remilgado Seymour que con el capitán Cutler. De más de seis pies y de una musculatura más de circo que de teatro, Isidoro Bruno, con su piel de leopardo y sus dorados atavíos, pareçía un bárbaro. Se apoyaba en una especie de lanza de caza, que en el teatro semejaba una vara de plata y en aquel cuarto reducido y relativamente lleno, parecía una amenaza. En sus ojos negros y vivarachos brillaba un fuego volcánico; su rostro bronceado, de regulares facciones, ofrecía en aquel momento una combinación de pómulos salientes y dentadura blanca que evocaban, acaso, su origen americano de las plantaciones del Sur.

—Aurora —dijo con aquella voz de sonoridad de tambor, que emocionaba a los públicos—, querrás...

Se calló indeciso porque en aquel preciso instante se presentaba un sexto personaje en el umbral, un tipo tan raro en aquel ambiente, que casi resultaba cómico. Era un hombre bajito que llevaba el negro hábito del clero secular romano, y que al lado de Bruno y de Aurora parecía un tosco Noé salido de un arca. Sin percatarse, al parecer, del contraste que ofrecía, dijo con torpe cortesía:

—Creo que miss Romo me ha mandado llamar.

Un observador perspicaz hubiera observado que la agitación que reinaba en aquellos corazones crecía con una interrupción tan fría. La presencia del célibe profesional parecía descubrir a los otros el hecho de que rodeaban a la dama como un anillo de rivalidades amorosas, como al entrar una persona con el abrigo nevado en una estancia despierta la conciencia de la comodidad de su calefacción. La presencia del único hombre a quien no interesaba la belleza corporal de miss Romo acrecentó en los otros el sentimiento de su amor a ella, en un sentido más o menos peligroso: el actor la amaba con todo el apetito de un salvaje y de un niño mal criado; el militar con el sencillo egoísmo de un hombre en quien la voluntad supera a la inteligencia; sir Wilson con esa solidez y concentrada firmeza que ponen los hedonistas en sus chifladuras; hasta el infeliz Parkinson, que la conocía desde antes de sus triunfos y que la seguía, andando o con los ojos, de un puesto a otro, la quería con la callada fascinación de un perro.

Una persona sagaz hubiera observado otra circunstancia no menos curiosa, que recogió con intensa y contenida satisfacción el hombrecillo de hábito talar. Era evidente que la gran Aurora, aunque no se mostraba indiferente a la admiración del otro sexo, deseaba en aquel momento librarse de sus admiradores y quedarse a solas con quien no la admiraba, al menos en el mismo sentido, ya que al sacerdote le causaba gozosa admiración la diplomacia femenina que la artista desplegó con gran firmeza para lograr su propósito. Acaso era aquella la única cualidad en que se revelaba la inteligencia de Aurora Romo. El curita pudo apreciar la rápida precisión de aquella estrategia, sólo comparable a la de Napoleón, con que alejó a todos sin ahuyentar a nadie. Bruno, el corpulento actor, era tan infantil que resultaba fácil apartarlo, dándole con la puerta en la nariz. Cutler, el oficial británico, era un paquidermo para las ideas, pero muy puntilloso en el proceder. No descubriría nunca la intención, pero antes moriría que dejar de cumplir un determinado encargo de una dama. En cuanto al viejo Seymour, requería un trato diferente, y había que dejarlo para después. El único modo de desprenderse de él era apelar a su amistad de un modo confidencial, describiéndole el secreto de aquella limpieza. El sacerdote no pudo menos de admirar a miss Romo cuando alcanzó los tres objetivos en una sola y brillante acción.

Se acercó al capitán Cutler y le dijo con dulzura:

—Aprecio en su valor estas flores, porque deben de ser sus flores preferidas. Pero no estarían completas sin *mi* flor predilecta. Vaya a la tienda que está al volver la esquina y tráigame algunos lirios de los valles; entonces será un ramo perfecto.

El primer objetivo de su diplomacia, la salida del enojado Bruno, lo alcanzó en un momento. Había entregado la lanza con estilo señorial, como si alargase un cetro, al infeliz Parkinson, y se disponía a sentarse en uno de los cojines como en un trono. Pero ante aquel ruego dirigido a su rival brilló en sus ojos toda la insolencia de un meridional, apretó su enorme puño un momento, y luego, abriendo de un empujón la puerta, desapareció en su cuarto. Pero, entretanto, el éxito de miss Romo al movilizar el ejército británico no había sido tan rotundo como era de esperar. Cierto que Cutler se había levantado al instante, dirigiéndose tiesamente y sin sombrero a la puerta, como si obedeciese a una voz de mando. Pero acaso notó cierta elegante ostentación en la lánguida actitud de Seymour, apoyado contra uno de los espejos, que le hizo detenerse un segundo a la entrada para volver la cabeza con el aturdimiento de un perro de presa.

—He de indicar a ese imbécil dónde ha de ir —dijo Aurora con voz de susurro a Seymour, y corrió a la puerta para dar prisa al que se marchaba.

Seymour parecía estar escuchando, sin alterar su postura de elegante indiferencia, pareció aliviado al oír que la dama gritaba ciertas instrucciones al capitán, y luego se volvía y echaba a correr riendo, por el pasaje, hacia el otro extremo, es decir, hacia el terraplén que dominaba el Támesis. Pero inmediatamente se fruncieron las cejas de Seymour. Una persona de su posición tiene muchos rivales, y recordaba que al otro lado del pasaje estaba la puerta correspondiente al cuarto de Bruno. No perdió la dignidad, dijo algunas frases al padre Brown sobre la restauración de la arquitectura bizantina en la Catedral de Westminster y luego, con la mayor naturalidad, salió andando hacia la puerta superior del pasaje. El padre Brown y Parkinson quedaron solos, y ni uno ni otro estaba de humor para mantener una conversación superficial. El ayuda de cámara se agitó por el cuarto moviendo espejos, y su traje negro le daba un aspecto más fúnebre con la festiva lanza del rey Oberón, que aún empuñaba. Cada vez que movía el marco de un espejo, aparecía una nueva imagen negra del padre Brown. La habitación tan ridículamente llena de espejos, estaba sembrada de padres Brown, que revoloteaban por el aire como ángeles y daban saltos mortales como acróbatas, volviendo la espalda a todas partes como personas mal educadas.

El padre Brown parecía no percatarse de aquella nube de testigos, pero siguió a Parkinson con mirada de perezosa atención hasta que el hombre y la lanza desaparecieron en el cuarto contiguo de Bruno. Entonces se abandonó a una de aquellas meditaciones abstractas que siempre le gustaban, calculando los ángulos de los espejos, los ángulos de cada refracción, el ángulo en que cada espejo había de disponerse en la pared... cuando se oyó un grito fuerte, pero sofocado.

Se levantó de un brinco y permaneció escuchando, rígido, al mismo tiempo, sir Wilson Seymour entró precipitadamente, pálido como el marfil.

—¿Quién es ese hombre del pasaje? —gritó—. ¿Dónde está mi puñal?

Antes de que el padre Brown pudiera girar sobre sus pesadas botas, Seymour estaba buscando el arma por el cuarto, y antes que pudiera encontrar lo que buscaba, se oyeron pasos precipitados en el pavimento del pasaje y asomó en la entrada la recia cabezota de Cutler, quien aún llevaba protescamente el manojo de lirios del valle.

—¿Qué es esto? —exclamó—. ¿Quién es ese que está en el pasaje? ¿Es una de sus chanzas?

—¿De mis chanzas? —repetía su pálido rival avanzando hacia él.

Mientras esto sucedía, el padre Brown salió al pasaje, miró, y se alejó corriendo hacia algo que veía.

Los dos caballeros abandonaron su contienda y corrieron tras él, mientras Cutler lo llamaba a gritos:

—¿Qué hace usted? ¿Quién es usted?

—Me llamo Brown —dijo el sacerdote, que estaba inclinado sobre un objeto y se incorporó al llegar los otros a su lado—. Miss Romo mandó buscarme y acudí a toda prisa, pero llegué demasiado tarde.

Los tres hombres contemplaron aquello, y para uno de los tres al menos, la vida acabó allí, como acaba la luz de la tarde, que entraba en el pasaje como un chorro de oro, en medio del cual, Aurora Romo yacía con el esplendor de sus atavíos teatrales y con la cabeza vuelta hacia el techo. El vestido se le había rasgado de un tirón, dejándole al descubierto el lado derecho de la espalda, pero la herida de que manaba la sangre en abundancia estaba al otro lado. El puñal de bronce brillaba a pocos pasos.

El primer momento fue de trágico silencio, durante el cual se oyó la risa de una florista al otro lado de Charing Cross y el silbido de alguien que pedía insistentemente un taxi, en una de las calles adyacentes a la ribera. Entonces, el capitán, con un movimiento rápido que más parecía un acto de comedia que de pasión, agarró con fuerza a sir Wilson Seymour de la garganta.

Seymour le dirigió una mirada severa, que ni indicaba temor ni deseos de lucha, mientras le decía con voz de la mayor frialdad:

—No se tome la molestia de matarme; yo lo haré por mi cuenta y riesgo.

El capitán vaciló un momento y lo soltó antes que el otro añadiese con la misma flema:

—Si no tengo valor para hacerlo con ese puñal, lo haré en un mes bebiendo.

—A mí no me basta con beber —replicó Cutler—, pero antes de matarme necesito sangre. No la suya... pero ya sé la de quién.

Y antes que los otros pudieran sospechar su intención, cogió el puñal, corrió hacia la puerta del extremo inferior del pasaje, la abrió de un empujón, haciendo saltar la cerradura, y se enfrentó con Bruno en el cuarto del artista. Entretanto, el viejo Parkinson salió tambaleándose a la puerta, y al ver el cadáver en el pasaje, se acercó agitadamente, lo contempló con cara desencajada, y con paso tembloroso se volvió al cuarto de la artista y se dejó caer en uno de los sillones almohadonados. El padre Brown se acercó al instante a él, sin hacer caso de Cutler, y del coloso actor, aunque la habitación de éste temblaba ya a causa de unos golpes y había empezado la lucha por la posesión del puñal. Seymour, que aún conservaba cierto sentido práctico, lanzaba silbidos de alarma al extremo del pasaje para atraer a la Policía.

Cuando ésta llegó tuvo que separar a los dos hombres, que estaban agarrados como monos en una lucha cuerpo a cuerpo, y después de algunas preguntas de rigor, quedó detenido Isidoro Bruno bajo la acusación de asesinato lanzada contra él por su enfurecido adversario. El hecho de que el héroe nacional de moda hubiese detenido a un criminal por su propia mano, sin duda había de tener fuerza probatoria para la Policía, que a veces es tan impresionable como un periodista. Trató a Cutler con atención algo solemne, y descubrió que tenía un rasguño en la mano. Y es que mientras Cutler acorralaba a Bruno entre la silla y la mesa, el actor consiguió arrancarle el arma, infiriéndole una ligera herida en la muñeca. El daño no tenía importancia, pero el detenido no cesó de mirar con fría sonrisa, hasta que se lo llevaron, la sangre que al otro le salía.

—Pero, ¿es un cafre ese hombre? —dijo en tono confidente a Cutler el agente de la autoridad.

Cutler no contestó, mas un momento después dijo con firme resolución:

—Hemos de atender a la... muerta —y se le ahogó la voz en la garganta.

—A los muertos —se oyó decir a una voz que llegaba del otro lado de la habitación—. Este desgraciado acababa de expirar cuando yo me he acercado. —Y se quedó contemplando al viejo Parkinson, que parecía un fardo negro entre los vivos colores de los cojines. También él había pagado su tributo, no sin elocuencia, a la muerte.

El silencio que siguió quedó roto por Cutler, que probó no estar desposeído de una ruda terneza al declarar secamente:

—Le tengo envidia. Recuerdo que la seguía con los ojos dondequiera que ella se volviese. Ella era su aire, y al faltarle se ha asfixiado. Ya está muerto.

—Todos estamos muertos —dijo Seymour con voz extraña, mirando la calle.

Se despidieron del padre Brown en una esquina, con algunas excusas por la rudeza que hubieran podido manifestar. Los dos ponían una cara trágica y enigmática.

La cabeza del sacerdote era un torbellino de ideas que no podía fijar; aunque estaba seguro de la pena que sentían aquellos señores, no lo estaba de que fuesen inocentes.

—Ha sido preferible que nos marcháramos —observó Seymour cansadamente—, después de hacer cuanto hemos podido para ayudar.

—No me interpreten ustedes mal —replicó con

calma el padre Brown— si les digo que han hecho todo lo posible para perjudicar.

Los dos se sobresaltaron como si fueran culpables y Cutler preguntó, vehemente:

—¿Para perjudicar? ¿A quién?

—A ustedes mismos —contestó el sacerdote—. No aumentaría sus desazones con nuevas inquietudes si no considerase de justicia advertirles. Han hecho ustedes cuanto han podido para que los ahorquen, si ese actor resulta inocente. Sin duda me citarán y me veré obligado a declarar que, después de oírse el grito, ustedes dos volvieron al cuarto de la artista en un estado de viva agitación y se pusieron a reñir a causa de un puñal. A juzgar por sus declaraciones bajo juramento, cualquiera de los dos puede ser el autor de esa muerte. Esto les perjudica, para no hablar del gran daño que se ha causado el capitán Cutler con el puñal.

—¿Yo? —exclamó el capitán con desprecio—. ¡Un simple rasguño!

—Que ha hecho salir sangre —replicó el sacerdote—. ¡Ahora sabemos que el bronce está ensangrentado y nadie sabrá ya si lo estaba antes!

Guardaron silencio y luego dijo Seymour con un énfasis que contrastaba con su acento ordinario:

—Pero yo vi un hombre en el pasaje.

—Ya sé que lo vio —contestó el clérigo con cara inexpresiva—, y también lo vio el capitán Cutler. Por eso resulta tan inverosímil.

Antes que los otros pudieran comprender el significado de sus palabras, el padre Brown se excusó cortésmente y se alejó taconeando y agitando su curioso paraguas.

Tal como hoy día están dirigidos los periódicos, las noticias que se dan más a conciencia y con más importancia son las de la Policía. Si es cierto que en el siglo xx llenan más espacios los asesinatos que la política, se debe a la sencilla razón de que un asesinato es un asunto más serio. Pero ni aún esto explicaría la enorme preponderancia que dio la Prensa de Londres y de provincias al «Caso Bruno» o «El misterio del Pasaje». Tan excitados estaban los ánimos, que durante algunas semanas la Prensa dijo realmente la verdad, y los informes de las investigaciones e interrogatorios, aunque interminables y casi intolerables, eran veraces. Claro que la verdadera razón de aquéllos estaba en la coincidencia de las personas. La víctima era una actriz popular; el acusado, un actor popular, y el acusado había sido detenido con las manos ensangrentadas por el soldado más popular de la temporada patriótica. En circunstancias tan extraordinarias, la Prensa vivió en un lapso de honradez y precisión, y la historia de este extraño y tan misterioso asunto quedó resumida en las reseñas del juicio de Bruno.

El presidente del tribunal en este proceso fue Mr. Justice Monkhouse, uno de esos jueces escarnecidos por su caprichoso proceder, pero que generalmente son mucho más serios que los jueces serios, ya que su veleidad proviene de una viva impaciencia producida por la solemnidad profesional, mientras que el juez serio está lleno de frivolidad, porque no pasa de ser un vanidoso. Como los principales actores eran de fama mundial, los abogados no podían ser menos. El fiscal era sir Cowdray, un abogado de peso, que sabía ser inglés y aceptar de mala gana la retórica. El preso estaba defendido por Mr. Patrik Butler, a quien consideraban un mero *flaneur* aquellos que no comprenden el carácter irlandés o no habían sido defendidos por él. En los informes médicos no había contradicción, pues estaban de acuerdo el doctor a quien Seymour llamó en el acto y el eminente cirujano que luego examinó el cadáver. Aurora Romo había sido herida con un instrumento punzante, como un cuchillo o un puñal; pero, en todo caso, con un arma de hoja corta. La herida llegaba al corazón y la muerte fue instantánea. Cuando la vio el primer doctor, haría escasamente veinte minutos que había muerto. Por tanto, cuando la encontró el padre Brown apenas hacía tres que estaba muerta.

Siguiendo las declaraciones de detectives oficiales, concernientes principalmente a la prueba de si hubo o no hubo lucha, el único elemento de juicio era el vestido rasgado por la espalda, que estaba en desacuerdo con la dirección y finalidad del golpe. Cuando se hubieron expuesto, que no explicado, estos pormenores, se llamó al primero de los testigos de verdadera importancia.

Sir Wilson Seymour prestó declaración como solía hacer todas las cosas: no sólo bien, sino perfectamente. Aunque era más popular que el mismo juez, supo borrarse con un exquisito tacto para presentarse como un simple ciudadano ante la Justicia del Rey, y aunque todo el mundo lo miraba como podía mirarse al primer ministro o al arzobispo de Canterbury, no hubiera podido decir de su intervención en el caso más que si se hubiese tratado de un caballero particular. Fue también de una claridad transparente como en los comités que presidía. Había ido a visitar a miss Romo al teatro, allí encontró al capitán Cutler, estuvieron un rato juntos con el acusado, que luego volvió a su cuarto; se les unió un sacerdote católico, que preguntó por la artista y dijo llamarse Brown. Miss Romo salió del teatro por la puerta del pasaje para indicar al capitán Cutler la tienda donde debía de comprarle algunas flores más. Distraídamente oyó a la interfecta, después de dar el encargo al capitán, reír mientras se alejaba por el pasaje hacia el otro extremo, donde estaba la puerta del cuarto del preso. Movido a curiosidad por aquellos movimientos rápidos de sus amigos, salió cachazudamente y avanzó por el pasaje mirando a la puerta del acusado. ¿Vio algo en el pasaje? Sí, vio algo en el pasaje.

Sir Cowdray abrió una pausa impresionante, durante la cual el testigo se volvió al auditorio, y en lo irreprochable de su porte extremo resaltaba la palidez de su cara.

Pasada esta pausa, el abogado preguntó en voz baja, entre piadoso e insinuante:

—¿Lo apreció usted bien?

Sir Wilson Seymour, aunque conmovido, tenía serena la cabeza al contestar:

—Perfectamente en cuanto al contorno de su figura, pero muy mal en cuanto a detalles dentro del contorno. El pasaje es tan largo, que cualquiera que esté en medio aparece negro como una silueta recortada en la luz del extremo. —El testigo bajó los ojos, y añadió—: Ya había notado este fenómeno cuando entró en el pasaje el capitán Cutler.

Se hizo un silencio, durante el cual se inclinó el juez a tomar nota.

—Bien —prosiguió preguntando sir Walter—. ¿Cómo era esa silueta? ¿Era, por ejemplo, como la figura de la mujer asesinada?

—De ningún modo —contestó Seymour con toda calma.

—¿Qué le pareció a usted?

—Me pareció un hombre alto.

Todos los de la sala fijaron la vista en su pluma o en el puño de su paraguas o en su libro o en sus botas o en cualquiera otra cosa que estuviesen mirando. Parecía que les costaba un gran esfuerzo mantener apartados los ojos del acusado, cuya enorme estatura se imaginaban en el pasaje; y cuando todas las miradas se apartaron de él, pareció agigantarse su figura.

Cowdray volvió a sentarse con toda solemnidad, recogiendo su toga de seda negra y atusándose sus bigotes plateados. Sir Wilson bajaba de la tarima de los testigos después de añadir algunos pormenores a su declaración, cuando el abogado defensor se levantó y lo detuvo.

—No le molestaré más que un momento —dijo Mr. Butler, que a más de tener un vulgar aspecto, con sus cejas rubias, parecía estar siempre durmiendo—. ¿Tiene la bondad de decir al señor presidente cómo conoció usted que se trataba de un hombre?

Una leve sonrisa floreció un momento en los labios de Seymour al contestar:

—Por el único y vulgar testimonio de los pantalones. Cuando vi la luz del día entre sus piernas, me convencí de que, después de todo, era un hombre.

Los soñolientos ojos de Butler se abrieron de súbito, como si hubiera oído estallar una bomba.

—¡Después de todo! —repitió cachazudamente—. ¿De modo que pensó al principio que era mujer?

Seymour pareció turbarse por vez primera.

—Es algo curioso —dijo—, pero si Su Señoría permite que conteste según la impresión que me produjo, lo haré con mucho gusto. Había algo en aquella silueta que no era exactamente de una mujer, pero que tampoco era por completo un hombre; las curvas eran algo diferentes y tenía algo que parecía cabello largo.

—Gracias —dijo Mr. Butler, sentándose, como si ya tuviese lo que deseaba.

El capitán Cutler no estuvo en su declaración tan taxativo y ecuánime como sir Wilson, pero el relato de los hechos originarios fue el mismo. Describió la vuelta de Bruno a su cuarto, el encargo que recibió él mismo de comprar unos lirios del valle, su regreso por el extremo superior del pasaje, lo que vio en éste, sus sospechas. Pero añadió muy poco a la figura negra que él y Seymour habían visto. Preguntado por esta silueta, contestó que no era crítico de arte, con un dejo de ironía contra Seymour. Preguntado si le pareció hombre o mujer, dijo que más parecía un monstruo, con evidente alusión al acusado. Pero el capitán estaba sinceramente apenado y lleno de rencor, y Cowdray le excusó de confirmar hechos que estaban harto claros.

El abogado defensor también fue breve en su interrogatorio, pero, según costumbre, en su misma brevedad era lento.

—Se ha valido usted de una palabra ambigua —dijo mirando a Cutler como quien despierta de un sueño—. ¿Qué quiere decir con eso de que más parecía un monstruo que un hombre o una mujer?

Cutler pareció turbarse seriamente.

—Tal vez hice mal en usar esa expresión —dijo—. Cuando una bestia tiene hombros extraordinariamente subidos como un chimpancé y cerdas que le salen erizadas de la cabeza como un puerco...

Mr. Butler le atajó impaciente:

—No nos importa si sus cabellos parecían cerdas. ¿Se parecía a una mujer?

—¿A una mujer? —exclamó el militar—. ¡Voto a bríos, no!

—El último testigo dijo que lo era —comentó el abogado defensor con inconsiderada rapidez—. ¿Tenía la figura esas curvas más o menos femeninas a que se ha aludido tan concretamente? ¿No? ¿No había tales curvas femeninas? ¿La silueta, según he comprendido por lo que usted ha dicho, era más pesada y recia que otra cosa?

—Es posible que estuviese inclinada hacia delante —dijo Cutler con voz empañada.

—O es posible que no —dijo Mr. Butler, volviendo a sentarse.

El tercer testigo llamado por Sir Cowdray era el desmedrado clérigo católico, tan bajito, comparado con los que le precedieron, que su cabeza apenas salía de la barandilla, de modo que parecía que interrogaban a un chiquillo. Mas, por desgracia, diríase que a Sir Cowdray se le había metido en la cabeza que, principalmente por afinidad religiosa, el padre Brown estaba de parte del acusado, porque éste era impío y extranjero y entreverado de negro. Por lo tanto, procuraba acosar al padre Brown siempre que este orgulloso papista trataba de explicar algo, y le mandó que contestase por sí o por no y que contase los hechos sin jesuitismo. Cuando el padre Brown empezó a decir sencillamente quién pensaba que era el hombre del pasaje, el fiscal le atajó diciendo que no le interesaban sus opiniones.

—Se vio en el pasaje una silueta negra. Y dice usted que vio también la silueta negra. Bien, ¿qué forma tenía?

El padre Brown pestañeó bajo aquel chaparrón adusto, pero estaba acostumbrado a la obediencia.

—La forma —contestó— era baja y gruesa, pero le salían de cada lado de la cabeza dos cosas negras que parecían cuernos y que...

—¡Bah!, el diablo con cuernos, sin duda —exclamó Cowdray, hundiéndose en su asiento, muy divertido—. Era el diablo que venía a comerse a los protestantes.

—No —dijo el sacerdote sin alterarse—; yo sé quién era.

Todos los que escuchaban tuvieron la impresión de una monstruosidad fuera del alcance de la razón. Olvidaron la figura relacionada con quien estaba sentado en el banquillo de los acusados para pensar únicamente en la aparición del pasaje, y esta figura descrita por tres personas tan capacitadas como respetables adquirió la forma sólo concebible en una pesadilla: uno creía haber visto a una mujer; otro, a un monstruo; el tercero, a un diablo...

El juez contemplaba al padre Brown con mirada recta y penetrante.

—Es usted un testigo extraordinario —dijo—; pero no sé qué le noto que me induce a pensar que trata usted de decir la verdad. Bien, ¿quién era el hombre que vio usted en el pasaje?

—Era yo mismo —dijo el padre Brown.

Las palabras resonaron en la sala como una tormenta.

Butler se levantó del asiento con extraordinaria pereza y preguntó con calma:

—¿Su Excelencia me permitirá interrogar al testigo? —Y sin preámbulos hizo a Brown una pregunta que parecía incoherente—: Ha oído usted hablar de este puñal. ¿Sabe que los expertos han dicho que el crimen se cometió con un arma de hoja corta?

—De hoja corta —asintió el padre Brown—, pero de muy larga empuñadura.

Antes que la audiencia pudiera desechar la idea de que el sacerdote se había visto a sí mismo cometiendo un asesinato con un puñal de hoja corta, pero de puño largo, circunstancia que hacía horrible el crimen, se apresuró a dar una explicación:

—Quiero decir que los puñales no son las únicas armas de hoja corta. Las lanzas también tienen hoja corta y las lanzas también se pueden manejar como puñales, y más si son de esas lanzas de fantasía que suelen usarse en los teatros, como la lanza con la que el pobre Parkinson mató a su mujer, poco después de haberme ella mandado llamar para arreglar sus conflictos de familia... Y yo llegué demasiado tarde. ¡Dios me perdone! Pero murió penitente. El remordimiento lo mató. No pudo sobrevivir a lo que había hecho.

La impresión general de la sala fue que el rechoncho sacerdote no estaba bien de la cabeza y se había vuelto loco de remate ante el tribunal.

Pero el juez seguía mirándole con gran interés, y el abogado defensor procedió a interrogarlo de modo imperturbable:

—Si Parkinson se sirvió de una lanza de teatro, se la debió arrojar a una distancia de cuatro yardas. ¿Cómo se explica usted las señales de lucha, tal como el vestido rasgado por la espalda?

Nadie se fijó en que formulaba una pregunta que podía haber contestado un técnico, pero no un mero testigo.

—El vestido de la desgraciada —contestó éste— se rasgó al cogerse en el entrepaño que se abrió tras ella. Ella forcejeó por librarse y mientras esto hacía, salió Parkinson del cuarto del preso y le clavó la lanzada.

—¿Un entrepaño? —repitió el abogado con acento de curiosidad.

—Había un espejo en un lado interior —explicó el padre Brown—. Mientras yo estaba en el cuarto de la artista noté que algunos de aquellos espejos probablemente podían abrirse hacia el pasaje.

Se produjo un largo silencio que rompió el mismo juez.

—Así, ¿usted quiere decir realmente que cuando miró a lo largo del pasaje, el hombre a quien vio no era otro que usted mismo reflejado en el espejo?

—Sí, señor; eso es lo que quería decir —contestó Brown—, pero me preguntaban por la forma, y nuestros sombreros son de alas que parecen cuernos, y por eso yo...

—¿Quería usted decir que cuando sir Wilson Seymour vio aquella figura de mujer y pantalones de hombre, no vio a otro que a sir Wilson Seymour?

—Sí, señor —dijo el padre Brown.

—¿Y quería usted decir que cuando el capitán Cutler vio aquel chimpancé encogido de hombros, con pelos de cerdo en la cabeza, no vio a otro que a sí mismo?

—Sí, señor.

El juez se recostó en el respaldo de su silla con un abandono entre cínico y admirativo.

—¿Y puede decirnos —preguntó— cómo conoció usted su imagen en el espejo cuando dos personas tan distinguidas no se reconocieron?

El padre Brown pestañeó más violentamente que antes y declaró:

—Realmente, señor, no lo sé..., como no sea por la sencilla razón de que yo no me miro con tanta frecuencia...

V

## EL ERROR DE LA MAQUINA

Flambeau y su amigo, el sacerdote, estaban sentados en el Jardín del Temple, a la caída de la tarde, y el ambiente que les rodeaba o alguna extraña influencia indujo su conversación a temas de procedimientos legales. Del problema sobre el abuso que se hacía en los interrogatorios pasaron a tratar de la tortura romana y medieval, de las investigaciones judiciales de Francia y del llamado tercer grado de América.

—He leído algo —dijo Flambeau— acerca de ese método psicométrico de que tanto se habla, especialmente en Norteamérica. Ya sabe usted a qué me refiero. Colocan un pulsómetro en la muñeca de uno y ven cómo se altera el corazón al pronunciar ciertas palabras. ¿Qué le parece a usted?

—Muy interesante —replicó el padre Brown—. Me recuerda aquella creencia, tan extendida en la

Edad Media, de que la sangre fluía del cadáver si lo tocaba el asesino.

—¿Quiere usted decir —preguntó su amigo— que concede a los dos métodos igual valor?

—Creo que los dos están igualmente desprovistos de valor —replicó Brown—. La sangre fluye con más o menos fuerza de los cuerpos vivos o muertos, por mil razones que nunca conoceremos. Y aunque corriera de la manera más caprichosa, nunca vería en ello una señal de que la he de verter.

—El método —observó el otro— ha sido garantizado por algunos de los más sabios norteamericanos.

—¡Qué sentimentalistas son los sabios! —exclamó el padre Brown—. ¡Y los sabios americanos aún deben serlo más! ¿A quién, si no a los yanquis, se les podía haber ocurrido probar nada por los latidos del corazón? Deben de ser tan sentimentales como los hombres que piensan que una mujer está enamorada de ellos porque se ruboriza. Eso no es más que una prueba de la circulación de la sangre, descubierta por el inmortal Harvey, y una prueba bien curiosa por cierto.

—Pero una u otra cosa debe señalar —insistió Flambeau.

—Es una desventaja que una varilla señale derecho a algún punto —contestó el otro—. ¿Qué significa? Pues que el otro extremo señala al lado opuesto. Todo depende de que la coja usted por el lado derecho. He visto eso realizado hace tiempo y desde entonces nunca más he creído en ello.

Y se puso a contar la historia de su desengaño.

Sucedió esto hace veinte años, cuando era capellán de sus correligionarios en una cárcel de Chicago, donde la colonia irlandesa, que desplegaba tanta capacidad para el crimen como para el arrepentimiento, lo tenía bastante ocupado. El oficial que sucedía al director en el mando era un antiguo detective llamado Freywood Usher, un filósofo yanqui, de aspecto cadavérico y de mucha labia, que lo mismo sabía poner una cara adusta que sonreír con afectuosa gracia. Quería al padre Brown y lo trataba con cierto aire de protección. El padre Brown también le tenía afecto, aunque detestaba cordialmente sus ideas, que eran demasiado complicadas y defendidas con demasiada sencillez.

Una tarde mandó llamar al sacerdote, quien, como de costumbre, se sentó en silencio al lado de una mesa llena de revistas y periódicos, y esperó. El oficial cogió un recorte de diario y se lo alargó al clérigo para que lo leyera. Éste lo hizo a conciencia. Era un suelto de un periódico de los más rosa de la sociedad americana, que decía lo siguiente:

«El viudo más espléndido de la sociedad vuelve a desconcertarnos con sus banquetes caprichosos. Nuestros más selectos ciudadanos recordarán el banquete de los cochecillos, con que Last-Trick Todd, logró en su palacio de Pilgrim's Pond, que muchos de nuestros prominentes principiantes se sintieran más jóvenes de lo que eran por sus años. Tan elegante y más divertida para la flor y nata de nuestra sociedad resultó la merienda de caníbales celebrada el pasado año, en que los dulces aparecieron sarcásticamente modelados en forma de brazos y piernas humanas, y durante la cual nuestros más viejos ingenios pudieron prometer que iban a zamparse a su pareja. La inventiva que esta noche se pondrá de manifiesto se oculta aún en la reserva mental de Mr. Todd o en el enjoyado pecho de las más elegantes de nuestra sociedad; pero se habla ya de una alegre parodia de las costumbres y modales de lo más ínfimo de nuestra escala social. La fiesta dará que hablar, tanto más cuanto que el hospitalario Todd hospeda a lord Falconroy, el célebre viajero, un aristócrata de pura sangre recién salido de los robledales de Inglaterra. Lord Falconroy empezó a viajar antes de que se resucitase su antiguo título feudal; en su juventud estuvo en la República, y la fantasía murmura un motivo astuto para su regreso. Miss Etta Todd es una de nuestras más animadas neoyorquinas y entra en posesión de una herencia de casi mil doscientos millones de dólares.»

—Bien —preguntó Usher—, ¿le interesa?

—Hombre, casi no sé qué decir —contestó el padre Brown—. En este momento no se me ocurre nada del mundo que me interese tan poco. Y a no ser que el justo enojo de la República haya decidido ahorcar al periodista que escribe así, no veo en qué puede interesarle a usted.

—¡Ah! —dijo Mr. Usher, secamente, alargándole otro recorte de periódico—. ¡A ver si le interesa esto!

El suelto se encabezaba de este modo:

«Brutal asesinato de un guardián. El preso se da a la fuga.»

Y seguía:

«Poco antes del amanecer, en la penitenciaría de Squah, de este Estado, se oyó un grito de auxilio. Las autoridades corrieron en la dirección del grito y hallaron el cadáver del guardián que vigila en lo alto del muro norte de la cárcel, la más alta y la más difícil de saltar, razón por la cual se consideraba suficiente la vigilancia de un hombre. El desgraciado empleado había sido arrojado del muro, con el cráneo roto con un instrumento contundente, y su arma de fuego había desaparecido. Posteriores investigaciones demostraron que una de las celdas estaba vacía. La ocupaba antes un rufián mal encarado que decía llamarse Oscar Rian. Estaba cumpliendo condena temporal por un asalto relativamente de poca importancia, pero daba a todos la impresión de que tenía un pasado muy negro y un futuro peligroso.

Por fin, cuando se hizo de día y se alumbró la escena del crimen, se vio en la pared, por encima del cadáver, la siguiente leyenda, escrita con un dedo mojado en sangre: "Lo hice en defensa propia, y él llevaba arma. No he deseado ningún mal ni a él ni a nadie más que a uno. Me guardo la bala para Pilgrim's Pond. — O. R." Se necesita ser el más facineroso y el más salvaje y resuelto de los hombres para escapar por aquella pared a pesar de vigilarla un hombre armado.»

—Bueno, el estilo literario está algo mejorado —admitió el clérigo, jovialmente—; pero aún no veo en qué puedo servirle. Con mis piernas cortas haría una triste figura corriendo por estas tierras en persecución de un asesino como ése, que debe de ser atlético. Dudo que nadie lo pesque. La penitenciaría de Squah está a treinta millas de aquí, y nos separa un terreno salvaje, y más allá, que es donde habrá ido, es un desierto que acaba en las praderas. Se habrá metido en una cueva o se habrá subido a un árbol.

—No está en una cueva —dijo el director—, ni está en un árbol.

—¿Cómo lo sabe? —preguntó el padre Brown, pestañeando.

—¿Quiere usted hablar con él? —explicó Usher.

El padre Brown abrió unos ojos de niño pasmado y exclamó:

—¿Está aquí? ¿Cómo lo han cogido?

—Lo detuve yo mismo —anunció el americano, arrastrando las palabras y estirando las piernas para calentárselas al fuego—. Lo atrapé con el puño encorvado en mi bastón. No me mire con esa cara. Es la verdad. Ya sabe usted que a veces me voy a dar una vuelta por esos caminos, para perder de vista esta triste mansión; bien, pues al oscurecer me paseaba por un camino pendiente, separado a ambos lados por un seto vivo de los campos de labranza y bañado de luna que acababa de salir. A la luz de ésta vi correr a un hombre. Corría con el cuerpo encorvado, a gran velocidad. Parecía pronto a caer extenuado, pero al llegar al espeso seto lo atravesó como si se tratara de una tela de araña; o mejor dicho, ya que pude oír el chasquido de ramas al quebrarse, como si fuese de piedra. En el momento en que apareció a la luz de la luna cruzando la carretera, le tiré el bastón a los pies, haciéndole tropezar y caer. Luego toqué el pito y acudieron nuestros compañeros a sujetarlo.

—Menudo chasco se hubiera usted llevado —observó Brown— si llega a descubrir que era un atleta popular entrenándose.

—No lo era —dijo Usher con una mueca—. Pronto descubrimos su personalidad, aunque yo lo había adivinado apenas entró en la zona de luna.

—Pensó usted que era el preso fugitivo —notó el sacerdote con la mayor sencillez— porque había leído en esos recortes de periódico, esta mañana, que un preso se había fugado.

—Tenía mejores elementos de juicio —replicó el otro fríamente—. Pasaré de largo por el primero, por demasiado simple para darle importancia. Convendrá usted en que los atletas modernos ni corren por los campos labrados ni se exponen a arrancarse los ojos tirándose de cabeza a los matorrales. No corren encorvados como si fueran perros. Eso aparte de otros detalles decisivos para un observador experto. El individuo en cuestión vestía ropas toscas y andrajosas, y no sólo eran toscas y andrajosas, sino que le caían mal, que hacían de él un tipo grotesco. Aun visto a la escasa luz de la luna, el cuello de la chaqueta en que estaba hundida la cabeza le daba toda la semejanza de un giboso y eran tan largas las mangas, que parecía no tener manos. En seguida se me ocurrió pensar que se las había arreglado para trocar sus ropas con las de un paisano excesivamente alto. Segundo: hacía un vientecillo regular y como él corría contra dirección, debía haberle visto volar el cabello si no lo hubiera llevado corto. Luego recordé que no lejos de los campos por donde corría estaba Pilgrim's Pond, para donde, como usted recordará, el preso había guardado la bala, y sin vacilar le arrojé al vuelo mi bastón.

—Una pieza brillante de rápidas deducciones —dijo el padre Brown—. Pero, ¿llevaba un arma de fuego? —y como Usher se detuvo bruscamente en el paseo que daba por la habitación, el sacerdote añadió como excusa—: Porque tengo entendido que sin ella no es tan útil, ni mucho menos, la bala.

—No tenía arma —dijo el otro, con gravedad—, pero eso se debía sin duda a que la perdió o cambió de idea. Probablemente, la misma precaución que le hizo cambiar de ropa, le hizo abandonar el arma; porque sin duda se arrepentiría de haber dejado escrita la amenaza con sangre de su primera víctima.

—Ya, es posible, ya —dijo el sacerdote.

—Y apenas vale la pena de que perdamos tiempo en discutir este pormenor —añadió Usher, volviendo a coger unos periódicos—, porque ahora ya sabemos que es el fugitivo.

—Pero, ¿cómo? —preguntó su amigo, en tono candoroso. Y Greywood Usher tiró los periódicos y cogió otra vez los recortes.

—Bueno, ya que se obstina usted tanto, empecemos desde el principio —dijo—. Fíjese usted que lo único que tienen de común estos dos recortes es la mención de Pilgrim's Pond, la finca, como usted sabe, de Ireton Todd. También sabe usted que es hombre de extraordinario carácter, uno de ésos que se han hecho de la nada...

—Que lo debe todo a su propio esfuerzo —asintió el interlocutor—. Sí, ya lo sé. Con el petróleo, creo.

—Como sea —dijo Usher—. Last-Trick Todd tiene mucho que ver en ese negocio del aguardiente.

Se sentó de nuevo junto al fuego y continuó hablando en aquel lenguaje fluido y llano, que daba tanto claridad a su relato.

—Ante todo, he de decirle que no hay en todo esto el menor misterio. Ni es misterio, ni siquiera raro, que un pájaro de cuenta se acerque armado a Pilgrim's Pond. Nuestro pueblo no es como el inglés, que perdona a un hombre el haberse enriquecido mientras gaste el dinero en hospitales o en caballos. Last-Trick Todd se ha enriquecido por sus dotes excepcionales y sus mañas, y no hay duda de que muchos de aquellos a quienes ha demostrado sus habilidades querrían demostrarle las suyas disparándole un tiro. Todd puede caer bajo el golpe de cualquiera a quien ni siquiera haya visto nunca, de algún trabajador, a quien despidió o de un empleado de escritorio en algún negocio que él haya estropeado. Last-Trick es un hombre de grandes dotes intelectuales y de enorme prestigio; pero en este país las relaciones entre patronos y obreros están muy tirantes.

»Esto es lo que se ha de tener en cuenta, suponiendo que Rian vino a Pilgrim's Pond a matar a Todd, que es lo que a mí me parecía antes de que otro descubrimiento de poca monta despertase el espíritu detectivesco que ya empezaba a dormir en mí. Cuando puse al detenido a buen recaudo, requerí otra vez mi bastón y me fui por la carretera, que en una de sus revueltas me dejó ante una de las entradas laterales a la finca de Todd, la más próxima al estanque o laguna de la que recibe el nombre el palacio. Hace de eso dos horas, y serían las siete, aproximadamente. La luna brillaba más que antes y yo podía ver perfectamente el surco de luz que abría su reflejo en las aguas y en el légamo verdoso de sus orillas, en que dicen que nuestros abuelos solían caminar resbalando y haciendo equilibrios hasta que se hundían. No recuerdo exactamente el cuento, pero ya sabe usted a qué lugar me refiero. Cae al norte de la residencia de Todd, hacia el páramo, y crecen allí dos árboles tan esmirriados y tristes, que más parecen enormes cardos que frondosos árboles. Mientras contemplaba esta laguna caliginosa, me pareció ver la figura mal dibujada de un hombre que se movía desde la casa hacia allí; pero estaba demasiado lejos y neblinoso para cerciorarme del hecho y menos de los pormenores. Por otra parte, pronto distrajo mi atención otra cosa mucho más cercana. Me aproximé a la cerca, que está a la distancia de unas doscientas yardas de una de las alas de la gran mansión y que afortunadamente tiene boquetes como ex profeso para que se pueda mirar desde fuera. En la masa oscura del ala izquierda se había abierto una puerta, y una silueta se destacó, negra, en la luz interior. Era una persona embozada, que se inclinaba como escrutando la noche. Cerró la puerta a su espalda y vi que llevaba una linterna, que arrojó un haz de luz a las ropas de quien las llevaba. Me pareció que era una mujer envuelta en una capa andrajosa y disfrazada, sin duda, para evitar que la conocieran; había, evidentemente, algo misterioso, tanto en los andrajos como en la cautela observada por una persona que salía de aquellas salas forradas de oro. Avanzó con precaución por el sendero del jardín, hasta acercarse a mí a una distancia de cincuenta yardas. Luego, se detuvo un momento en un balate de césped que dominaba el lago y levantando la linterna por encima de su cabeza, la movió tres veces a uno y otro lado, como si diera una señal. Al moverla la segunda vez, un destello le azotó la cara, cara que yo conocía. Estaba intensamente pálida y su cabeza se cubría con un chal plebeyo, seguramente prestado. Pero no podía equivocarme: era Etta Todd, la hija del millonario.

»Rehízo el camino con el mismo misterio y la puerta se volvió a cerrar tras ella. A punto estaba de saltar la cerca para seguirla, cuando me percaté de que el entusiasmo detectivesco que me hubiera arrastrado a la aventura no era todo lo digno que convenía, y que, conteniéndome en los límites de mi autoridad, ya tenía en mis manos todas las cartas. Y ya me volvía, cuando se percibió otro ruido en la noche. Una ventana se abrió en uno de los pisos superiores, pero en uno de los ángulos de la casa, de modo que no pude verlo; y una voz rompió con terrible claridad la paz del oscuro jardín, preguntando dónde estaba lord Falconroy, puesto que no se le hallaba en toda la casa. Aquella voz era inconfundible. La he oído en muchas asambleas: era el mismo Ireton Todd. Algunos invitados que estaban en las ventanas de los pisos bajos o en las gradas del portal, le gritaron que Falconroy se había ido a pasear por la orilla del lago una hora antes y no se le había vuelto a ver. Entonces Todd gritó: «¡Horrible asesinato!», y cerró la ventana con violencia. Aún pude oír cómo bajaba a saltos la escalera. Refrené mi primer impulso al margen de la investigación general que forzosamente había de seguir a aquello, y volví aquí poco después de las ocho.

»Ahora le ruego que recuerde esa nota de sociedad que tan poco interesante le ha parecido. Si el preso no tenía intención de matar a Todd, supuesto ya descartado, sin duda la tenía de matar a lord Falconroy, y por cierto que supo elegir el terreno. No es fácil hallar otro que reúna mejores condiciones geológicas para hacer desaparecer a un enemigo por el sencillo método de dejar resbalar el cadáver en el limo hasta una profundidad prácticamente insondable. Supongamos, pues, que nuestro amigo de la cabeza rapada vino a matar a Falconroy y no a Todd. Pero, como ya le indiqué, hay muchas razones para explicar que un americano quiera matar a Todd, pero no hay más que una que nos explique que haya en América alguien que desee la muerte de un lord inglés recién llegado, y esa única razón se halla en el recorte del periódico color de rosa, y es que el lord viene a conquistar a la hija del millonario. Nuestro motilón, a pesar de sus ropas grotescas, debe de ser un pretendiente.

»Ya sé que esta deducción le ha de parecer chochante y aun ridícula, pero eso porque es usted inglés. Para usted es como si le dijese que la hija del arzobispo de Canterbury se casará en St. George con un barrendero licenciado de presidio. No juzga usted bien el poder trepador con que se han encaramado nuestros más conspicuos ciudadanos. Ve usted a un hombre bien portado, de cabello gris, en traje de etiqueta, con cierto aire de autoridad, sabe que es un puntal del Estado y se figura que tiene padre. Se equivoca usted. No comprende que hace relativamente pocos años puede haber vivido en una casa de huéspedes y probablemente en la cárcel. Muchos de nuestros más influyentes ciudadanos no sólo han medrado recientemente, sino relativamente tarde. La hija de Todd tenía ya dieciocho años cuando su padre empezó a amontonar dinero, de modo que nada tiene de imposible que la rondara alguien en su pasada vida, menos holgada, ni que ella misma le correspondiera, como pienso que hubo de ser, a juzgar por el manejo de la linterna. Y en tal caso, la mano que sostenía la linterna puede tener alguna relación con la mano que empuñó el arma. Este asunto, señor, hará mucho ruido.

—Bien —dijo el cura, con paciencia—, ¿y qué hizo usted luego?

—Reconozco que no tendrá su aprobación, porque sé que usted se opone a la marcha de la ciencia en esta materia. Tomé toda clase de precauciones y quizá llevé mi discreción a extremos exagerados y me pareció una oportunidad excelente para probar la máquina psicométrica de que le hablé. Ahora puedo darle mi opinión de que la máquina no puede mentir.

—Ninguna máquina puede mentir —dijo el padre Brown—, ni decir la verdad.

—En este caso la dijo, como lo demostraré —afirmó Usher, convencido—. Hice sentar a ese individuo, tal como iba vestido, en un sillón y procedí, sencillamente, a escribir palabras en una pizarra, observando las alteraciones de su pulso. La treta consiste en introducir algunas palabras relacionadas con el crimen entre una lista de nombres que nada tienen que ver, pero que guarden entre sí una cierta relación. Así, yo escribí *garza, águila, lechuza,* y cuando escribí *falcón* le vi enormemente agitado, y al añadir una «r» la aguja del instrumento llegó al tope. ¿Quién, en esta República, tendría motivo para alarmarse ante el nombre de un inglés recién llegado, como Falconroy, sino el hombre que lo mató? ¿No es ésta mejor prueba que las declaraciones de los testigos, la prueba de una máquina segura y digna de confianza?

—No olvide usted —observó su compañero— que la máquina, por segura que sea, siempre está puesta en movimiento por una máquina insegura y poco digna de confianza.

—¿Qué quiere decir? —preguntó el detective.

—Me refiero al hombre —dijo el padre Brown—, la máquina más insegura que conozco. No deseo ser rudo ni pretendo que se considere al hombre como una descripción ofensiva o descuidada de sí mismo. Dice usted que observó sus alteraciones, pero, ¿cómo sabe que no se equivocó usted al hacerlo? Dice que las palabras han de tener cierta relación y que se han de escribir de la manera más natural. ¿Está seguro de haberlo hecho de una manera natural? ¿Cómo sabe que él, a su vez, no observaba las alteraciones que en usted se producían? ¿Quién nos prueba que no estaba usted enormemente agitado? ¿Había otra máquina atada a su muñeca?

—Le aseguro —gritó el americano, muy excitado— que yo estaba fresco como una lechuga.

—Los criminales también pueden estar frescos como una lechuga —replicó el padre Brown, sonriendo— y tan serenos como usted mismo.

—Pero éste no lo estaba —dijo Usher, tirando los periódicos—. ¡Oh! ¡Me fatiga usted!

—Lo siento —dijo el otro—. No hago más que insinuar lo que me parece razonablemente posible. Si usted pudo descubrir por sus inmutaciones cuando llegaba la palabra que podía llevarlo a la horca, ¿porqué no había de poder él decir por las de usted lo mismo? Antes de ahorcar a nadie exigiría yo algo más que palabras.

Usher golpeó la mesa y se levantó con aire de colérico triunfo.

—Y eso es lo que voy a darle —gritó—. Probé antes la máquina para comprobarla luego con cosas, y la máquina, señor, es veraz.

Hizo una pausa y prosiguió, menos excitado:

—Sólo quiero insistir, si es preciso, en que no hice nada que se apartase de la conciencia experimental. No había contra el hombre ninguna prueba directa. Sus ropas no le caían bien, como he dicho, pero al menos eran de mejor calidad que las usadas por la gente de los bajos fondos a que sin duda él pertenecía. Además, no obstante haberse ensuciado y arañado, arrastrándose por los setos, el hombre estaba relativamente limpio. Esto no quería decir otra cosa, claro, que había salido recientemente de la cárcel; pero me hizo pensar en el pobre respetable que se desvive por presentarse aseado. Sus modales, me veo obligado a confesarlo, estaban en armonía con los de la clase proletaria. Se mantenía silencioso y digno como los de su clase, parecía tener un grave resentimiento, y se mostraba ignorante del crimen y de todo lo demás. Sólo manifestaba una arisca impaciencia porque viniera a sacarle del mal paso en que se había metido. Me preguntó más de una vez si podría telefonear a un abogado que le había ayudado tiempo hacía en un pleito comercial, y se conducía en todos los sentidos como si fuese un inocente. No había contra él otra cosa que aquella aguja del cuadrante que señaló la alteración de su pulso.

»Sí, señor; la máquina emitió su juicio y no se equivocó. Cuando salí con él del laboratorio al vestíbulo donde esperaba mucha gente el turno para ser examinada, creo que estaba más o menos decidido a sincerarse poniendo en claro las cosas mediante una confesión. Se volvió a mí y empezó a decir en voz baja:

»—¡Ah! No puedo soportar más esta situación. Si quiere que le diga la verdad...

»Al mismo tiempo, una de las pobres mujeres que esperaban sentadas en un banco, se levantó, chillando y señalándole con un dedo. En mi vida he oído un grito tan claro. Parecía que había visto al demonio, y acompañó el ademán a las palabras como si le descerrajase un tiro, y aunque más bien parecía aullar, sonaron las palabras tan claras como comparadas:

»—¡Drugger (1) Davis! ¡Han cogido a Drugger Davis!

»De entre el grupo de las desgraciadas mujeres, en su mayoría ladronas y rameras, veinte caras se volvieron dando un suspiro de alegría y odio. Aunque no hubiera yo oído aquellas palabras, hu-

(1) El que vende drogas heroicas.

biese conocido por el efecto que le produjeron que quien decía llamarse Oscar Rian había oído su propio nombre. Pero no soy tan ignorante, modestia aparte. Drugger Davis era uno de los más terribles y depravados delincuentes que han puesto en jaque a la policía. No puede negarse que cometió más de un asesinato, mucho antes de su última fechoría, que causó la muerte del guardián; pero, aunque parezca mentira, nunca se le pudieron probar del todo, porque siempre actuaba moderadamente como los delincuentes de menor cuantía por los que con frecuencia se le detuvo. Era un bruto apuesto y con ciertas dotes de educación externa, que aún conserva hasta cierto punto, y frecuentaba el trato con mozas de taberna o dependientas de comercio para sacarles dinero. Con frecuencia, no obstante, hacía cosas peores, pues se las encontraba narcotizadas con cigarrillos o bombones y el monedero limpio. Llegó el caso de encontrarse a la muchacha muerta, pero no se pudo probar que hubiera habido intención deliberada, y por otra parte, tampoco pudo encontrarse al delincuente. He oído decir que luego reapareció no sé dónde con carácter diametralmente opuesto, prestando dinero en vez de tomarlo; pero aun a pobres viudas a quienes personalmente podía fascinar, y con el mismo resultado para ellas. Ahí tiene usted la inocencia de ese hombre. Y desde entonces lo han reconocido cuatro delincuentes y tres guardianes, confirmando lo que le cuento. Después de esto, ¿qué tiene usted que decir de mi pobre máquina? ¿Lo ha descubierto la máquina o prefiere usted decir que aquella mujer y yo lo hemos descubierto?

—En cuanto a lo que usted ha hecho —replicó el padre Brown, levantándose y sacudiéndose—, le digo que lo ha salvado de la silla eléctrica. No creo que maten a Drugger Davis por esa vaga historia del envenenamiento. Y en cuanto al preso que mató al guardián, resulta para mí evidente que no lo ha detenido todavía usted. Al menos, Mr. Davis es inocente de ese crimen.

—¿Qué quiere decir con eso? —preguntó el otro—. ¿Por qué ha de ser inocente de ese crimen?

—Pues, ¡válgame Dios! —exclamó el hombrecito en uno de sus momentos de entusiasmo—. ¡Porque es culpable de los otros crímenes! No comprendo cómo son ustedes así. Les parece que todas las faltas se hallan reunidas en un hombre como en un saco. Habla usted como si un tacaño el lunes fuese un manirroto el jueves. Me cuenta usted que ese hombre que tiene ahí detenido se pasaba las semanas y los meses sacando a mujeres pobres pequeñas sumas, que se valía de narcóticos en los mejores casos y de veneno en los peores, que luego se convirtió en prestamista de la más baja estofa y timó a gente menesterosa por un procedimiento tan lento y pacífico. Convengamos en ello, admitamos, para dar fuerza al argumento, que hizo todo eso. Si es cierto que lo hizo, le diré yo lo que no hizo. No se arrojó desde un muro contra un guardián armado. No escribió en la pared con su propia mano, suponiendo que lo hiciese. No se detuvo a dejar escrito que había matado en defensa propia. No declaró que no tenía resentimientos contra el pobre guardián. No nombró la casa del rico a la que se dirigía con el arma. No escribió sus propias iniciales con sangre humana. ¡Válgame el cielo! Pero, ¿no ve usted que el carácter es enteramente distinto, tanto en lo bueno como en lo malo? Usted no se parece a mí ni pizca. Cualquiera pensaría que usted no ha tenido ningún vicio en su vida.

El atónito americano abría ya la boca para protestar, cuando la puerta de su despacho particular vibró, golpeada con una fuerza y una falta de consideración a que no estaba acostumbrado, y se abrió de par en par antes que Freywood Usher llegara a la conclusión de que el padre Brown se había vuelto loco.

Pero inmediatamente sospechó que quien se había vuelto loco era él. Hizo irrupción en el despacho un hombre sucio y harapiento con un sombrero lleno de mugre, caído a un lado, y una visera verde muy estropeada, subida sobre un ojo que, como el otro, brillaba como los de un tigre. El resto de la cara apenas podía distinguirse entre las matas de una barba y de unos bigotes que casi ocultaban por completo la nariz, mientras escondía el cuello en un pañuelo encarnado tan raído como el resto de su traje. Mr. Usher que se vanagloriaba de haber visto los tipos más brutos del Estado, jamás se había hallado en presencia de un orangután vestido de espantajo como aquél. Y lo más grande era que nunca, en su plácida vida de sabio, le había hablado nadie como le habló aquel tipejo sin esperar en absoluto a que le preguntasen.

—Oiga usted, amigo Usher —vociferó aquel hombre—. Ya empiezo a estar cansado. No trate usted de prolongar más sus bromas conmigo; no crea que soy tan necio. Deje en libertad a mi huésped, y no permaneceré aquí ni un momento. Tráigalo aquí al instante y no se arrepentirá. Después de todo no soy hombre sin influencia.

El eminente Usher miraba a aquel monstruo rugiente con una estupefacción que borraba todo otro sentimiento. Lo que sus ojos veían dejaban sordos sus oídos. Por fin, apretó un botón con mano sacudida de violencia, y aún vibraba el timbre con sonido de alarma, cuando el padre Brown dijo con tono apagado, pero claro:

—Tengo que exponer una opinión, aunque parezca un poco confusa. Yo no conozco a este caballero, pero..., pero creo conocerlo. Ahora bien, usted lo conoce, lo conoce perfectamente, pero no lo conoce, según se ve. Ya sé que parece esto una paradoja.

—Reconozco que el universo está trastornado —dijo Usher, abatiéndose en el sillón de su mesa.

—Y oiga lo que le digo —vociferó el desconocido, golpeando la mesa, pero hablando en tono que parecía misterioso porque era algo afable, aunque estrepitoso—. No voy a ponerle en antecedentes. Sólo quiero...

—¿Quién diablos es usted? —chilló Usher, irguiéndose de pronto.

—Creo que este caballero se llama Todd —dijo el sacerdote.

Luego, cogió el recorte de color de rosa del periódico.

—Me parece que no ha leído usted con atención esta nota de sociedad —dijo. Y se puso a leerla en voz monótona—: «O en el enjoyado pecho de las más elegantes de nuestra ciudad; pero se habla ya de una alegre parodia de las costumbres y modales de lo más ínfimo de nuestra escala social.» Esta noche se ha celebrado un banquete grotesco en Pilgrim's Pond y un hombre, uno de los invitados, desapareció. Mr. Ireton Todd es un buen anfitrión y ha llegado hasta aquí siguiéndole la pista, sin cuidarse de quitarse el disfraz.

—¿Qué quiere decir?

—Hablo del tipo tan ridículamente vestido que vio usted correr a campo traviesa. ¿No sería mejor que fuese usted a interrogarle? Debe de estar muy impaciente por no volver a su champaña, que abandonó con tanta precipitación, cuando el preso hizo su aparición con el arma.

—Pero quiere usted decir en serio...

—Mire, Mr. Usher —interrumpió el padre Brown, con calma—: dice usted que la máquina no puede equivocarse, y en cierto modo no se equivocó. Pero la otra máquina se equivocó; la máquina que la movía. Supone usted que el hombre se sobresaltó al nombre de lord Falconroy, por ser el asesino de lord Falconroy. Se sobresaltó porque es el propio lord Falconroy.

—Entonces, ¿por qué diablos no lo dijo? —preguntó el sorprendido Usher.

—Porque creyó que aquella exhibición de pánico era poco patricia —repuso el sacerdote— y por eso trató de ocultar su nombre al principio. Pero estaba a punto de decírselo, cuando —el padre Brown se miró los botas—, cuando aquella mujer le dio otro nombre.

—Pero no puede usted estar tan loco para decir que lord Falconroy era Drugger Davis —objetó Greywodd Usher, que estaba palidísimo en aquel momento.

—Yo no digo semejante cosa —replicó el sacerdote, mirándolo muy serio y con expresión indescriptible—. Lo demás lo dejo para usted. Su recorte dice que el título ha sido recientemente desenterrado a su favor; pero los diarios son muy poco dignos de confianza. Dice que estuvo en los Estados Unidos en su juventud; pero toda esa historia es muy extraña. Davis y Falconroy son dos tipos bastante cobardes; pero así son muchos hombres. Yo no ahorcaría a un perro por lo que opine acerca de esto. Pero creo —siguió diciendo, en tono afable y reflexivo— que ustedes, los norteamericanos, son excesivamente modestos. Creo que idealizan ustedes a la aristocracia inglesa, aun suponiendo que sea tal aristocracia. Ven ustedes a un inglés bien parecido y en traje de etiqueta, saben ustedes que es un miembro de la Cámara de los Lores, y se figuran que tiene padre. Muchos de nuestros nobles influyentes no sólo han medrado recientemente, sino...

—¡Oh! ¡Basta! —gritó Greywood Usher, agitando, nervioso, una mano esquelética contra la sombra de ironía que había en la cara del otro.

—¡No pierda el tiempo hablando con ese loco!

—exclamó Todd, rudamente—. Lléveme al lado de mi amigo.

Al día siguiente el padre Brown se presentó con la misma expresión de gravedad, y un retazo de color de rosa en la mano.

—Sospecho que no es usted un asiduo lector de las notas de sociedad —dijo—, pero ésta quizá le interese.

Usher leyó el título: «Jaraneros de Last-Trick extraviados: Divertido incidente cerca de Pilgrim's Pond.» Y el párrafo decía lo siguiente: «Anoche ocurrió un cómico incidente en la parte exterior del garaje de Wilkinson. A un policía de servicio le llamó mucho la atención que un individuo, que vestía el uniforme de presidiario, subiera con la mayor frescura a un lujoso "Panhard" y se sentase al volante, acompañado de una muchacha envuelta en un chal andrajoso. Al querer intervenir la Policía, la joven se quitó el chal, y todos reconocieron a la hija del millonario Todd, que acababa de llegar del banquete caprichoso que se celebraba en Pond, al que los más distinguidos huéspedes asistían en semejante *deshabillé*. Ella y el caballero vestido de presidiario iban a dar el acostumbrado paseo, propio de la alegría que se siente en estos casos.»

Debajo de aquel retazo de color rosa, había otro de distinto periódico, cuyo título leyó Mr. Usher: «Asombrosa fuga de la hija del millonario con el preso. Ella había ideado el banquete extravagante. Ahora están a salvo en...»

Mr. Greywood levantó los ojos, pero el padre Brown había desaparecido.

## VI

## LA CABEZA DEL CÉSAR

No sé si en Brompton o en Kensington hay una avenida interminable de altos edificios, suntuosos, pero vacíos, que más parece una avenida de mausoleos. Las escalinatas que llevan a los portales, suben tan empinadas como las gradas de las pirámides, y casi vacilaría uno al llamar a la puerta, temiendo que saliera a abrirle una momia. Pero aún produce una impresión más deprimente que las fachadas su largura telescópica y su continuidad invariable. Quien por allí transita llega a pensar que nunca encontrará una salida o una esquina, pero hay una excepción, una sola y muy pequeña, lo cual no impide que el transeúnte la salude con un grito de esperanza. Entre dos edificios gigantescos hay una especie de corral, un sencillo rinconcejo, que parece un portillo comparado con la calle; pero lo suficiente grande para permitir una cervecería, o sea, una casa de comidas no mayor que una pocilga, tolerada por los ricos para sus lacayos. En su misma oscuridad tiene un aire animado y una cierta insignificancia. A los pies de aquellos gigantes de piedras grises parece una casita de enanos, iluminada.

Cualquiera que hubiese pasado por allí durante cierta tarde de otoño, que también parecía una tarde de hadas, hubiera podido ver una mano que apartaba a un lado la cortina que, a lo largo de un cristal donde había un gran letrero, recataba el interior del establecimiento, y una cara que miraba a la calle, no sin cierto aspecto de trasgo. No era otra cara que la de un hombre inofensivo, llamado Brown, antiguo sacerdote de Cobhole, en Essex, y en aquel entonces ocupado en Londres. Su amigo Flambeau, un indagador semioficial, se hallaba sentado al otro lado de la mesa acabando de redactar unas notas referentes a un caso que le habían encargado dilucidar en la vecindad. Estaban los dos junto a la ventana cuando el cura de almas apartó la cortina y miró a la calle. La mantuvo apartada y no la dejó caer hasta que un desconocido hubo pasado por delante de la ventana. Entonces sus ojos se posaron en el letrero que, con letras blancas, se veía en el cristal del montaje, y luego se dirigieron a la mesa de al lado, ocupada por un bracero que tomaba una cerveza y una muchacha rubia que había pedido un vaso de leche. Pero viendo que su amigo se guardaba el cuaderno en el bolsillo, le dijo:

—Si tuviera usted diez minutos disponibles, le agradecería que siguiese al hombre de la nariz postiza.

Flambeau levantó la cabeza, sorprendido; pero la muchacha rubia también miró con cara de pasmo. Llevaba un sencillo vestido de saco, ligeramente oscuro; pero era una señorita, y, bien mirada, una señorita casi altiva.

—¡El hombre de la nariz postiza! —repitió Flambeau—. ¿Quién es?

—No tengo la menor idea —contestó el padre Brown. Deseo que usted lo descubra y se lo pido como un favor. Ha pasado por la calle y no debe de andar lejos. Sólo quisiera saber la dirección que toma.

Flambeau se quedó mirando a su amigo con expresión entre perpleja y burlona, y luego se levantó, llenó la puertecilla de la taberna con su corpulencia y desapareció en el crepúsculo.

El padre Brown sacó del bolsillo un librito pequeño se puso a leer de prisa, sin dar muestras de percatarse de que la rubia se levantaba de la mesa para ocupar el puesto que su amigo acababa de abandonar. Por fin, la muchacha se inclinó, y dijo, en voz baja pero firme:

—¿Por qué ha dicho usted eso? ¿Cómo sabe que es postiza?

El sacerdote levantó sus cansados párpados con expresión del mayor embarazo, y su mirada indecisa se refugió en el letrero de la ventana de la taberna. Los ojos de la muchacha siguieron los suyos, y se quedaron fijos en las letras como ante un enigma.

—No —dijo el padre Brown, contestando a los pensamientos de la joven—. Eso no dice «Sela», como la palabra de los salmos; yo también lo he leído así mientras estaba en Babia hace un momento. Dice «Ales» (1).

—Bueno, ¿y qué importa lo que diga?

El sacerdote bajó sus ojos reflexivos por las mangas de la muchacha y los detuvo en los puños de la chaqueta, ribeteados con un ligero dibujo, lo suficiente para distinguirlo de un vestido ordinario de mujer vulgar y evocar el de una estudiante de arte. Parecía darle aquello mucho que

(1) Ales: cerveza.—*N. del T.*

pensar, pero su contestación fue tardía y vacilante:

—Mire usted, señorita: por fuera, este lugar parece... bueno, es un lugar del todo decente..., pero las señoras como usted no..., no lo juzgan así, generalmente. Nunca entran en estos establecimientos por gusto, excepto...

—¿Qué? —se apresuró ella a preguntar.

—Excepto unas cuantas desgraciadas que no entran a beber leche.

—Es usted un hombre singular —dijo la joven—. ¿Qué se propone con esto?

—No molestarla —contestó él, afablemente—. Únicamente documentarme para ayudarla, si solicitara usted voluntariamente mi ayuda.

—¿Y por qué he de necesitarla?

El padre Brown siguió hablando como si pensara en voz alta.

—No ha entrado usted a ver *protegidas*, amigas humildes, o lo que sean, pues hubiera pasado al recibimiento... No puede haber entrado porque se sintiera enferma, pues hubiera preguntado por la dueña del establecimiento, que, sin duda, es una señora respetable... Además, no tiene usted cara de enferma, sino de afligida... Esta calle es la única que no tiene calles adyacentes, y las casas de ambos lados están cerradas... Sólo puedo suponer que ha visto usted venir a alguien con quien no quería encontrarse, y se ha metido en la taberna como en el único refugio de este desierto de piedra... No creo haber excedido la curiosidad de cualquier forastero al mirar al único hombre que ha pasado por la calle... Y como me pareció que su aspecto era el de un hombre malo... y usted me parece una buena muchacha... me hice el propósito de ayudarla si se considera agraviada por él. Eso es todo. En cuanto a mi amigo, pronto volverá. No creo que pueda sacar nada corriendo por una calle como ésta... No lo creo.

—Entonces, ¿por qué lo mandó usted? —preguntó ella con viva curiosidad. Tenía la cara de orgullo y de ímpetu de las rubias y una nariz romana, como María Antonieta.

Él contestó, mirándola fijamente por primera vez:

—Porque esperaba que usted me querría hablar.

La muchacha le devolvió una mirada que brillaba de cólera en el encendimiento de su rostro; pero que luego se apagó, sustituyéndola una mueca de ironía, a pesar de toda su ansiedad.

—Si tanto le interesa mi conversación, quizá no tenga inconveniente en contestar a una pregunta: ¿Me haría usted el honor de decirme por qué pensó que ese hombre llevaba una nariz postiza?

—La cara siempre se deslumbra un poco en este tiempo —contestó el padre Brown, con toda sencillez.

—¡Pero si es una nariz tan torcida y fea! —observó la rubia.

El sacerdote sonrió.

—Yo no digo que sea una nariz que ostente uno para lucirse —admitió—. Sospecho que ese hombre se la pone porque su nariz verdadera es más perfecta.

—Pero, ¿por qué? —insistió ella.

—¿Cómo dice aquella canción de niños? —prosiguió Brown, distraídamente—. «Érase un hombre torcido que hacía rutas tortuosas...» Y ese hombre me imagino que habrá andado por caminos muy tortuosos siguiendo la nariz.

—¿Por qué? ¿Qué ha hecho? —preguntó ella, muy agitada.

—No quisiera forzar su confianza en absoluto —contestó el padre Brown con calma—; pero creo que sobre eso podría decirme usted mucho más de lo que yo puedo decirle.

La muchacha se levantó sin decir palabra y permaneció un momento con los puños cerrados como si fuera a marcharse, disgustada; pero poco a poco, se relajó su actitud y volvió a sentarse.

—Es usted un hombre muy misterioso —dijo con acento de desesperación—; pero sospecho que ese misterio puede envolver un buen corazón.

—Lo que más tememos todos es esa masa sin centro —dijo el sacerdote, en voz baja—. Por eso el ateísmo es sólo una pesadilla.

—Se lo contaré todo —dijo la rubia, sumisamente—, menos la razón que tengo para contárselo, porque la ignoro.

Dio un pellizco en el remendado mantel y prosiguió:

—Me parece que usted sabe distinguir perfectamente lo que es fachenda y lo que no lo es, y que si le digo que pertenezco a una familia de antiguo linaje, comprenderá que es parte necesaria de la historia; sin duda que mi peligro estriba principalmente en el elevado y seco concepto que tiene mi hermano de ciertos principios como *noblesse oblige* y otros por el estilo. Bien, me llamo Christabel Carstairs, y mi padre era el coronel Carstairs, de quien probablemente habrá oído hablar, que hizo famosa la Colección Carstairs de monedas romanas. No podría describirle a mi padre. Lo que sí puedo decirle es que parecía la efigie de una medalla romana, y de ésta tenía la belleza, la autenticidad, el valor, la calidad metálica y la antigüedad. Tan orgulloso estaba de su colección como de su escudo de armas. Su carácter extraordinario se reveló en su testamento. Tenía dos hijos y una hija. Se disgustó con uno de mis hermanos, con Giles, y lo mando a Australia con una escasa asignación. Entonces hizo el testamento legando la Colección Carstairs, con una asignación aún más escasa, a mi hermano Arthur. Esto significaba una recompensa, el más alto honor que podía ofrecer, para premiar la lealtad y la rectitud de su hijo y las distinciones que había obtenido en matemáticas y ciencias económicas en Cambridge. A mí me dejó toda su no escasa fortuna, y estoy segura de que lo hizo con desprecio.

»Arthur, dirá usted, podía quejarse; pero Arthur es el propio retrato de mi padre. Aunque en su juventud tuvo algunas diferencias con mi padre, apenas entró en posesión de la colección se portó como un sacerdote pagano consagrado a un templo. Confundió aquellas monedas romanas con el honor de la familia Carstairs, con la misma idolatría que caracterizó antes a mi padre. Procedía como si las monedas romanas hubieran de ser guardadas con todas las virtudes romanas. No se divertía, no gastaba nada en caprichos; vivía para la colección. Con frecuencia ni quería vestirse para sus frugales comidas, para tener tiempo de manipular entre los atadijos de papel oscuro en que envolvía sus tesoros, que a nadie permitía tocar. Con su bata ceñida con un cordón acabado en borlas y su cara pálida, flaca y fina, parecía un viejo asceta. De vez en cuando aparecía vestido como un caballero elegante, pero esto sólo ocurría cuando iba a Londres en plan de compras para aumentar la Colección Carstairs con algún ejemplar.

»Si ha tratado usted a la juventud de hoy no puede sorprenderle saber que yo me hallara mental y moralmente muy por debajo de todo esto a ese nivel en que a uno le tiene sin cuidado todo lo de la Roma antigua. Yo no era como mi hermano Arthur, pues gustaba de divertirme como otra cualquiera. El pobre Giles era lo mismo que yo, y creo que el ambiente numismático excusa su atolondrada conducta, aunque en realidad se portaba mal y a punto estuvo de ir a la cárcel. Pero su conducta no difería gran cosa de la mía, como usted verá.

»Ya entramos en la parte necia de la historia.

Creo que un hombre tan juicioso como usted adivinará fácilmente la índole de la distracción que libró de la monotonía de la vida a una muchacha de dieciséis años, tan independiente como yo y colocada en semejante situación. Pero estoy tan turbada por otras cosas también, que apenas me doy cuenta de mis propios sentimientos, y ya no sé si siento por aquello el desprecio que merece una práctica más o menos duradera de galanteo o lo soporta como un quebranto del corazón. Vivíamos entonces en una casita de placer, situada a poca distancia de la playa, en el sur de Gales, y un capitán de marina retirado, que vivía lejos de nosotros, tenía un hijo que me llevaba cinco años y había sido muy amigo de Giles antes de que éste marchara a las colonias. Su nombre no afecta a lo que estoy contando, pero le diré que se llamaba Philip Hawker, porque se lo cuento todo. Íbamos siempre a bañarnos juntos y decíamos y pensábamos que estábamos enamorados, al menos él decía que lo estaba y yo pensaba que realmente lo amaba. Si le digo que tenía un cabello crespo y bronceado, una cara de halcón, también bronceada por el sol y el aire del mar, no es para favorecerlo, se lo aseguro, sino porque lo exige la historia, ya que esto fue la causa de una curiosa coincidencia.

»Una tarde de verano en que me había comprometido ir a la playa con Philip, estaba esperando, con cierta impaciencia, en la sala, mientras observaba los manejos de Arthur con unos paquetes de monedas que acababa de adquirir y que de uno en uno o de dos en dos llevaba a su oscuro estudio y museo, que estaba detrás de la casa. Apenas oí que la puerta se cerraba definitivamente tras él, me apresuré a coger mi traje de baño y ya estaba a punto de salir, cuando advertí que mi hermano se había dejado una moneda que brillaba en el banco junto a la ventana. Era de bronce y su color combinado con la corva nariz y las líneas firmes y largas del cuello, hacían de aquella cabeza de César el retrato casi perfecto de Philip Hawker. Entonces recordé, de pronto, que Giles le hablaba a Philip de una moneda que se le parecía mucho, y que éste deseaba tenerla. Tal vez pueda usted imaginarse los necios pensamientos que pasaron por mi cabeza; se me antojó que aquello era un presente ofrecido por las hadas. Se me ocurrió pensar que si corría a ofrecer aquella moneda a Philip a guisa de esponsales, constituiría un lazo indisoluble entre nosotros. Pensé mil cosas a un tiempo. Pero, en seguida, se me representó como un monstruo con las fauces abiertas, pronto a devorarme, el acto que iba a realizar, y me quemó como un hierro candente el insoportable pensamiento de lo que diría de mí Arthur. ¡Una Carstairs ladrona, y ladrona del tesoro de los Carstairs! Creí que mi hermano me había de ver quemar con gusto como una bruja por semejante acción. Pero la idea misma de tan fanática crueldad soliviantó mi odio contra su cerrada terquedad de viejo anticuario y encendió mis anhelos por la juventud y libertad que me llamaba desde la playa. Fuera había sol y aire, y un campo dorado de retama y de aulagas que parecían llegar a invitarme hasta la ventana. Pensé en este oro vivo y animado que me llamaba desde los brazales de todo el mundo y en aquel otro oro bronce y cobre pesado y muerto de mi hermano, llenándose de polvo de los siglos. La naturaleza y la Colección Carstairs habían, por fin, llegado a las manos.

»La naturaleza es anterior a la Colección Carstairs, y corrí a la playa apretando la moneda en el puño y sintiendo tras de mí todo el Imperio de Roma y la genealogía de los Carstairs. No sólo rugía en mis oídos el viejo león de plata, sino que todas las águilas del César parecían aletear chillando en mi persecución. Pero mi corazón subía cada vez más alto, como la cometa de un niño, hasta que llegué a las dunas secas y a la mojada playa, donde ya estaba Philip con el agua a los tobillos, a cien yardas de la orilla. El sol estaba en el ocaso y la extensa franja de agua baja, que apenas cubría los tobillos hasta media milla, parecía un lago de llama roja. Sólo cuando me hube quitado los zapatos y las medias y me acerqué a él vadeando, me volví a mirar en torno. Estábamos completamente solos en un círculo de mar y de arena mojada, y le entregué la cabeza de César.

»En el mismo instante tuve la entraña sensación de que un hombre me estaba mirando intensamente desde las lejanas colinas de arena. Debí de haber pensado que aquello era una ilusión de mis excitados nervios, puesto que el hombre no era más que un punto oscuro en la distancia, y apenas podía yo apreciar que estaba parado y mirando en cierta dirección, con la cabeza un poco ladeada. No había la menor prueba lógica de que me estuviera mirando a mí. Podía mirar un barco, o la puesta del sol, o las olas, o a alguna de las personas que andaban por la playa a cierta distancia. No obstante, mi sobresalto fue profético, pues mientras yo lo miraba, se puso a caminar apresuradamente y en línea recta hacia la playa. Cuando estuvo más cerca, noté que era moreno y llevaba barba y gafas negras. Vestía pobre, pero decentemente, de negro, desde el sombrero hasta las botas. Sin quitárselas entró en el agua sin la menor vacilación, y se acercó a mí, derecho como una bala.

»No podía explicarme la sensación de monstruosidad y de milagro que me produjo cuando salvó en silencio la barrera que le ponía el agua. Me pareció que se había desprendido de un precipicio y que seguía caminando por el aire. Fue para mí como ver volar una casa o ver caer la cabeza de un hombre. Sólo se mojaba las botas, pero a mí me pareció un demonio desafiando las leyes de la naturaleza. Si hubiera vacilado un momento ante el agua, no hubiera sido nada; pero al verlo entrar de aquella manera, me produjo el efecto de que me veía a mí sola, sin enterarse del océano. Philip estaba unas yardas más adentro, vuelto de espaldas a mí. El desconocido se acercó y se detuvo a cosa de dos yardas, con el agua salpicándole hasta las rodillas. Y entonces dijo con una voz claramente modulada y un poco afectada:

»—¿Tendría la bondad de darme una moneda, dondequiera que sea, y un sobre cualquiera?

»Salvo las presentes circunstancias, no había nada de anormal en aquel hombre. Sus delgadas gafas no eran opacas realmente, sino de un color bastante común, ni tras ellas se movían los ojos, sino que me miraban fijamente. Su barba negra no era ni larga ni descuidada, más parecía muy poblada, porque le subía hasta muy arriba de la cara, como si le naciese de los pómulos. No era de complexión endeble ni descolorida, sino al contrario, saludable y juvenil, y no obstante, daba la impresión de cera pintada, que no sé por qué aumentaba el horror que todo él producía. La única cosa extraña que llamaba la atención era su nariz, que, aunque de forma correcta, se torcía ligeramente a un lado por la punta, como si fuese blanda y le hubieran dado un martillazo. Apenas podía haberse dicho que fuese un tipo deformado, pero no es posible imaginar el trastorno que su presencia me produjo. Parado allí, en medio del agua bañada por el sol poniente, me parecía un monstruo que salía bramando de un mar de sangre. No sé por qué había de afectarme tanto una ligera deformidad en la nariz. Me pareció que podía moverla como un dedo, y en efecto, la movió al hablar con el mismo acento perezoso y afectado:

»—Un pequeño socorro, que satisfará mi necesidad de ponerme en comunicación con mi familia.

»Entonces se me ocurrió que pretendía explotarme por haber robado la moneda de bronce; pero todas mis dudas y miedos supersticiosos se desvanecieron ante la fuerza de una pregunta: «¿Cómo podría saberlo?» Había robado aquel objeto movida de un repentino impulso, estaba completamente sola, pues siempre que iba a reunirme con Philip a la playa, procuraba que nadie me viese. Casi juraría que nadie me había seguido por la calle, y aunque así fuese, no podía haber visto la moneda en mi puño como a través de unos rayos X. Tan difícil era que aquel hombre, desde las lejanas colinas de arena, me hubiese visto entregar la moneda a Philip, como partir de un tiro el ojo de una mosca, como hizo el del cuento de hadas.

»—Philip —grité al sentirme indefensa—, mira qué desea este hombre.

»Cuando Philip volvió la cabeza lo vi encarnado, como huraño y vergonzoso; pero tal vez era el sol que le daba de lleno en el rostro u otra ilusión de mi fantasía. Se limitó a gritar ásperamente al hombre: "Lárguese de aquí." Y señalándome que lo siguiese, alcanzó, patullando, la orilla, sin hacer más caso de aquel tipo, y siguió andando por una faja de rocas que se metía en el agua desde el pie de las dunas y marcaban la dirección hacia casa, pensando, sin duda, que a nuestro aparecido le sería más difícil andar por allí que a nosotros que éramos jóvenes y estábamos acostumbrados. Pero mi perseguidor caminaba por entre las rocas con la misma facilidad con que hablaba, y yo no cesaba de oír a mi espalda sus melosas y detestables palabras, hasta que, por fin, cuando estábamos ya en lo alto de las dunas, Philip pareció perder la paciencia y se volvió de pronto, diciéndole: "Atrás. Ahora no puedo hablar con usted." Y como el otro dudaba en obedecer y aún abrió la boca para hablar, Philip le arreó un puñetazo que le hizo rodar por la arena hasta el pie de la colina. Yo le vi levantarse todo cubierto de arena.

»Aquel golpe me alivió, aunque podía aumentar el peligro; pero me sorprendió que Philip no hiciera alarde, como solía, de su proeza. Aunque se mostró afectuoso como siempre, me pareció desanimado, y se despidió de mí, la puerta de su casa, con dos observaciones, que me chocaron por lo raras. Dijo que, después de todo, la moneda volvería a la colección, pero que, de momento la guardaría él mismo. Y luego añadió de súbito y como si le doliese: "¿Sabes que Giles ha vuelto a Australia?"

Se abrió la puerta, y la gigantesca sombra del indagador Flambeau se proyectó sobre la mesa. El padre Brown le presentó a la muchacha con aquella sencillez tan persuasiva que caracterizaba su lenguaje, manifestando lo mucho que le interesaba el caso, y casi, sin darse cuenta, la joven resumió la historia para los dos. Pero Flambeau, al saludarla y tomar asiento, entregó al sacerdote un papelito. Brown lo tomó con cierta sorpresa y vio que en él estaba escrito: «Autómnibus a Wagga, 379, Avenida Mafeking, Putney.» La muchacha continuó su relato:

—Subí la calle costera de mi casa con la cabeza en un torbellino y aún no había empezado a serenarme cuando llegué al portal, donde encontré un recipiente para la leche y al hombre de la nariz torcida. El recipiente, allí, me indicaba que la servidumbre estaba fuera de casa, pues, desde luego, Arthur, envuelto en su bata oscura y en su lóbrego estudio, no oiría o no acudiría a la amada del timbre. Nadie, pues, podía ayudarme en casa más que mi hermano, cuya ayuda sería mi ruina. En un arranque de desesperación alargué dos chelines al odioso e inoportuno, diciéndole que volviese por allí dentro de algunos días, cuando ya se me hubiese pasado la mala impresión que me dejaba. Se marchó con actitud huraña, pero más mansa de lo que me esperaba, acaso escarmentado por el golpe y la caída, y yo me quedé mirando, con cierta satisfacción, las señales que había dejado en sus espaldas la arena. A unas seis casas más allá, desapareció por una esquina.

»Entonces entré, me preparé el té y traté de reflexionar. Estaba sentada junto a la ventana de la sala mirando al jardín, que aún lucía con la última claridad de la tarde; pero estaba demasiado preocupada para fijar con delectación mi vista en los macizos de las flores. Por eso lo que vi me impresionó más vivamente que si lo hubiese visto de pronto.

»El hombre o el monstruo que acababa de despedir, estaba, inmóvil y silencioso, en medio del jardín. ¡Oh! Se ha escrito mucho de fantasmas de rostro pálido que aparecen en las tinieblas; pero aquél era más espantoso que todos los que pueden haberse visto, porque aunque proyectaba una sombra larga, estaba envuelto en luz crepuscular, y porque su cara no era pálida, sino que tenía ese colorete que tienen las cabezas de cera en los escaparates de una barbería. Estaba inmóvil, frente a mí, y no puede tener idea de lo horrendo que parecía entre los tulipanes y otras plantas talludas y gozosas. Parecía que hubiésemos levantado en medio del jardín una figura de cera en vez de una estatua de mármol.

»Pero cuando me vio moverme en la ventana dio media vuelta y salió del jardín por la puerta de la verja que estaba abierta y por donde, sin duda, había entrado. Esta nueva muestra de timidez por su parte contrastaba de tal modo con la desfachatez con que se introdujo en el mar, que empecé a sentirme confortada. Acabé por calmarme y comí sola, pues era contra las normas incomodar a Arthur mientras trabajaba en su museo, y mis pensamientos, ya libres, volaron hacia Philip y creo que en él se perdieron. El caso es que estaba complaciéndome casi en mis divagaciones, con la mirada puesta en los cristales desnudos de una ventana, desde la oscuridad de otra habitación, sin ver más que las negruras de la noche, que, por fin, había llegado, cuando me pareció que había un caracol en la parte opuesta del vidrio. Pero fijándome mejor, vi que se parecía más al pulgar de un hombre, oprimido contra el cristal porque realmente parecía la curva del pulgar cuando oprime algo. Con todos mis temores y todo mi valor revividos, me acerqué a la ventana y lancé un grito penetrante, que sólo Arthur podía haber oído.

»No era aquello un pulgar, ni menos un caracol. Era la punta de una nariz corva, pegada al cristal, que parecía blanca por la presión, y la cara y los ojos, que de momento no vi, se me aparecieron grises como los de un fantasma. Cerré los postigos, corrí a mi cuarto y me encerré por dentro; pero casi juraría que de paso vi en otra ventana la misma apariencia de un caracol.

»Pensé qué, después de todo, lo mejor sería acudir a Arthur. Porque si el aparecido iba rondando la casa como un gato, de seguro que tendría peores propósitos que el del simple chantaje. Mi hermano podría despedirme y maldecirme para siempre; más como caballero, me defendería en el acto. Después de reflexionar durante diez minutos, me decidí a bajar, llamé a la puerta y entré; para ver lo peor que podía haber esperado.

»La silla de mi hermano estaba vacía y él ausente. Pero el hombre de la nariz torcida esperaba sentado, su regreso, con el sombrero insolentemente encasquetado y leyendo un libro de mi hermano a la luz de la lámpara. La expresión de su cara era la de un hombre atento a una idea que le interesa, pero la punta de su nariz me daba aún la impresión de ser la parte más movible de su rostro, como si se hubiera vuelto de un lado a otro cual la trompa de un elefante. Si me pareció espantoso cuando me perseguía y me miraba, aún me lo pareció más al ver que no se percataba de mi presencia.

»Creo que me puse a chillar como una loca, pero eso no importa. Lo interesante es lo que luego hice: le di todo el dinero que tenía, incluso una importante suma de valores que, aunque eran míos, no me creía con derecho a disponer de ellos. Por fin se marchó con odiosas y relamidas disculpas, expresadas con frases pomposas, y yo me senté, considerablemente arruinada en todos conceptos. No obstante, me vi salvada aquella misma noche por mera casualidad. Arthur se había marchado precipitadamente a Londres, como hacía con frecuencia, para sus negocios de compraventa, y volvió tarde; pero radiante de alegría, por haber casi asegurado un tesoro que añadiría nuevo esplendor a la colección de la familia. Tan alborotado se mostraba, que a punto estuve de confesarle la sustracción de aquella joya, que ya parecía insignificante para tanta magnificencia; pero no me dejó hablar, porque cuanto pudiera decirle no tenía la menor importancia ante la enormidad de sus proyectos. Y como el negocio podía escapársele de las manos de un momento a otro, insistió en seguida en que preparase los equipajes y que nos marchásemos en seguida a una casita que ya había alquilado en Fulham, donde estaríamos más cerca de la tienda de antigüedades en cuestión. Así es que, aun a pesar mío, huí de mi enemigo a medianoche, pero también Philip...

»Mi hermano iba con frecuencia al Museo South Kensington, y para no estarme yo todo el tiempo sin hacer nada, me matriculé para unas cuantas lecciones en las Escuelas de Arte. De allí venía esta tarde cuando vi la abominación y la desolación que bajaba por esta calle tan larga y desierta, y lo demás es lo que este señor ha dicho.

»Sólo tengo una cosa que añadir. No merezco que me ayuden ni me quejo de mi castigo. Es justo y tenía que ocurrir así. Pero aún me pregunto y no me explico, por más que me exprimo los sesos, cómo puede haber ocurrido. ¿Ha sido un castigo milagroso o puede, realmente, haber sabido otra persona, que no sea yo misma o Philip, que le di aquella monedita en medio del mar?

—Es un problema extraordinario —admitió Flambeau.

—No tanto como la explicación —advirtió el padre Brown, cejijunto—. Miss Carstairs, ¿estará usted en su casa de Fulham si vamos a hacerle una visita dentro de hora y media?

La muchacha se le quedó mirando, se levantó poniéndose los guantes, y contestó:

—Sí; allí estaré. —Y dicho esto, se marchó sin más.

El detective y el sacerdote aún continuaron hablando sobre el asunto, mientras se dirigían a la casa de Fulham, una casa de alquiler, demasiado humilde aún para residencia temporal de la familia Carstairs.

—Claro que, examinando el problema de un modo superficial —dijo Flambeau—, se inclinaría uno a pensar, antes que nada, en ese hermano de Australia que había pasado algunos apuros, que ahora ha vuelto inesperadamente y que debe tener cómplices. Pero no comprendo cómo puede haberse enterado de las cosas, a no ser que...

—¿Qué? —preguntó su compañero, que le escuchaba con paciencia.

Flambeau bajó la voz.

—A no ser que entre también en esto el novio de la muchacha, que en tal caso representaría el papel del traidor del melodrama. El australiano sabía que ese Hawker deseaba tener la moneda. Pero no sé cómo diablos pudo saber que Hawker la tenía, a no ser que el mismo Hawker se lo indicase por señas a él o a su representante, desde la playa.

—Es verdad —asintió el sacerdote, con respeto.

—¿Y no se ha fijado usted en otra cosa? —continuó Flambeau con viveza—. Ese Hawker oye que insultan a su amada, pero no la defiende descargando el puñetazo, hasta que están en terreno blando, en las colinas de arena, donde puede tumbar al otro sin consecuencias. Si le hubiera dado el golpe entre las rocas, podía haber lastimado a su cómplice.

—También es verdad —dijo el padre Brown, moviendo la cabeza.

—Y, además, delo por seguro. En este asunto intervienen pocos, pero, al menos, tres. Se necesita una persona para el suicidio, dos para el asesinato; pero tres, al menos para el chantaje.

—¿Por qué? —preguntó el sacerdote, blandamente.

—Eso es claro —gritó su amigo—: ha de haber uno a quien se le puede descubrir algo, otro para amenazar con el escándalo, y un tercero a quien el escándalo puede horrorizar.

Tras un breve momento de reflexión, el sacerdote observó:

—He de hacerle un distingo. Tres personas son necesarias como ideas, pero sólo dos como agentes.

—¿Qué quiere decir? —preguntó el otro.

—¿Por qué un chantajista no puede amenazar a su víctima personalmente? —replicó el sacerdote, bajando la voz—. Supongamos que una mujer se priva rigurosamente de beber para asustar a su marido en casa, disimulando saber que frecuenta las tabernas, y luego escribe falsificando la letra, amenazándole con decírselo a su mujer. ¿Por qué no puede dar esto resultado? Supongamos que un padre prohíbe a su hijo que juegue, y luego le sigue, convenientemente disfrazado, amenazándole con su propio y fingido rigor paternal. Supongamos... pero ya hemos llegado.

—¡Dios mío! —exclamó Flambeau—. No querrá usted decir...

Un joven bajaba corriendo la escalera de la casa y a la luz de la lámpara ofrecía a la vista la inconfundible cabeza que tanto se parecía a la efigie de la moneda romana.

—Miss Carstairs —anunció, sin preámbulo— no ha querido entrar hasta que ustedes llegasen.

—Bueno —observó Brown, en tono confidencial—, acaso sea preferible que permanezca fuera del cuidado de usted. Casi estaba por decir que lo ha adivinado usted todo.

—Sí —dijo el joven, en voz baja—, lo adiviné todo en la playa y ahora lo sé de cierto; por eso lo derribé sobre terreno blando.

Tomando una llave de manos de la muchacha y la moneda que Howker les alargó, Flambeau y su amigo entraron en la casa y pasaron al vestíbulo. Estaban fuera todos sus habitantes, menos uno. El hombre a quien el padre Brown había visto pasar por delante de la taberna se apoyaba contra la pared, como acorralado; era el mismo en todos los detalles, excepto en la chaqueta negra, que había sustituido por un gabán de color oscuro.

—Venimos —dijo el padre Brow cortésmente— a devolver esta moneda a su propietario —y se la entregó al hombre de la nariz.

—¿Es este hombre un coleccionista de monedas? —preguntó Flambeau moviendo mucho los ojos.

—Este hombre es Mr. Arthur Carstairs —afirmó el sacerdote— y resulta un coleccionista de monedas muy extrañas.

El hombre cambió de color tan violentamente, que la nariz resultó en su rostro como algo independiente del mismo y muy cómico. Y habló con un acento de dignidad desesperada:

—Verán ustedes, pues, que no he perdido todas las virtudes de mi familia.

Y diciendo esto se volvió, precipitadamente a una habitación interior cerrando la puerta con un rápido y fuerte golpe.

—¡Deténgalo! —gritó el padre Brown, tropezando con una silla y a punto de caer. Una o dos sacudidas bastaron a Flambeau para abrir la puerta. Pero ya no había remedio. En mortal silencio, Flambeau cruzó la habitación y telefoneó al doctor y a la policía.

En el suelo había tirada una botellita de medicina. Derribado contra la mesa estaba el cadáver, entre paquetes reventados de papel de estraza, de los que salían monedas, no romanas, sino inglesas y modernas.

El sacerdote recogió la cabeza de bronce de César.

—Esto —dijo— es cuanto queda de la Colección Carstairs.

Después de un breve silencio prosiguió con más dulzura que de costumbre:

—El desgraciado padre hizo un testamento cruel, y ya ve usted lo que ha pasado. El hijo odiaba las monedas romanas que le dejó su padre y cada día estaba más ansioso del dinero que le negó. No sólo ha vendido la colección poco a poco, sino que, poco a poco, se ha hundido en los procedimiento más viles para hacer dinero, llegando a practicar el chantaje contra su familia mediante el disfraz. Explotó a su hermano de Australia, aprovechándose de un delito que le había sido perdonado. Por eso subió al autobús para Wagga Wagga en Putney; explotó a su hermana por un hurto que sólo él podía conocer. Y a esto se debieron los presentimientos que tuvo ella en el mar cuando él la miraba desde lejos. La figura y el modo de andar de cualquiera, aunque esté lejos, nos recuerda a alguien mejor que su cara normal que vemos de cerca.

Se produjo un silencio.

—¿De modo —observó el detective— que este numismático y coleccionista no era más que un vulgar avaro?

—¿Acaso hay gran diferencia? —preguntó el padre Brown con la misma extraña dulzura—. ¿Qué hay de malo en un avaro que no pueda imputársele con frecuencia a un coleccionista? ¿Qué hay de malo, sino la prohibición...? No te harás imágenes, no te inclinarás ante ellas ni las honrarás; porque yo soy... Pero vamos a ver que hacen esos jóvenes.

—Me figuro —dijo Flambeau— que a pesar de todo, lo deben de pasar bastante bien.

## VII

## LA PELUCA ROJA

Mr. Edwart Nutt, el activo director de *The Daily Reformer*, estaba en su mesa abriendo cartas y corrigiendo pruebas, acompañándole en su trabajo el alegre sonsonete de la máquina de escribir, manejada por una mecanógrafa vigorosa.

Era un hombre fornido y rubio, en mangas de camisa, de movimientos resueltos y de palabra firme y rotunda; pero sus ojos, redondos y azules, de niño grande, tenían una expresión de pasmo y atolondramiento que parecían contradecir aquello. Pero no había de atribuirse el equívoco sólo a la expresión de sus ojos, pues también podía decirse de él, como de muchos periodistas responsables, que vivía en constante miedo: miedo a las difamaciones, miedo a perder los anuncios, miedo a los delitos de imprenta, miedo a no llegar a tiempo a los correos.

Su vida era una especie de ininterrumpidos compromisos entre él y el propietario del periódico, que era un viejo lisonjero, con tres ideas tontas en la cabeza, aptísimo cuerpo de redacción, que él mismo había seleccionado para hacer el diario, entre el cual destacaban algunas plumas brillantes y experimentadas, y (lo que era aún peor) algunos sinceros entusiastas de la política que defendía el periódico.

Ante él apareció una carta escrita por uno de éstos y, rápido como era en sus resoluciones, pareció dudar antes de abrirla. En vez de coger la carta cogió una galerada, la repasó con sus ojos azules y el lápiz azul cambió la palabra «adulterio» por «inconveniencia» y el término «judío» por «extranjero», tocó el timbre y la mandó, volando, arriba.

Entonces, con expresión pensativa, desplegó la carta de su más distinguido colaborador, que llevaba el sello de Devonshire, y decía lo siguiente:

«Querido Nutt: Ya que no rechaza usted los relatos de leyendas y fantasmas, ¿qué le parecería un artículo sobre este curioso asunto de los Eyre de Exmoor, o como le llaman las viejas por aquí: la diabólica oreja de Eyre? El cabeza de familia, como usted sabe, es el duque de Exmoor, el último vástago del viejo linaje de los Tory, un perfecto y cruel tirano, que entra de lleno en la serie de los tipos contra quienes se dirigen nuestros tiros. Y creo estar tras la pista de una historia que seguramente daría mucho que hablar.

»Desde luego, no creo en la vieja leyenda de Jacobo I, y en cuanto a usted, me consta que no cree en nada, ni aun en el periodismo. La leyenda, como tal vez recordará, se refiere a la magia negra en la historia de Inglaterra, el envenenamiento de Overbuy por aquel gato hechicero que se llamaba Francis Howard, y el terror misterioso que llevó al rey a perdonar a los asesinos. Las prácticas de brujería anduvieron muy mezcladas en todo aquello, y dice la historia que un criado que escuchaba por el ojo de la cerradura oyó todo lo que se habló entre el rey y Carr, y que era tan horrendo el secreto que la oreja se le alargó monstruosamente como por arte de magia, y aunque lo colmaron de bienes y de oro y fue el fundador de una dinastía de duques, nada pudo remediarle la deformidad de la oreja puntiaguda, efecto que transmitió de generación en generación. Usted no cree en la magia negra, y aunque creyese, no aprovecharía esto para publicarlo. Si ocurriese un milagro en su despacho se lo callaría, ahora que tantos obispos son agnósticos. Pero no se trata de eso. Se trata de que realmente sucede algo muy extraño en la familia de Exmoor, algo que a mí me parece natural, pero completamente anormal. Y la oreja representa en ello un papel de importancia: un símbolo, una ilusión, una enfermedad o lo que sea. Hay una tradición según la cual, desde Jacobo I los caballeros empezaron a llevar el pelo largo con el solo propósito de disimular la oreja del primer señor de Exmoor. Sin duda es también mera fantasía.

»Le digo esto porque me parece que cometemos una equivocación atacando a la aristocracia únicamente por sus vinos y sus brillantes. Son muchos los que admiran a los nobles sólo porque se divierten, pero creo que admitimos con demasiada facilidad la creencia de que la aristocracia no ha contribuido a la felicidad ni aun de los mismos aristócratas. Le propongo una serie de artículos en que se trataría de la infecta, enrarecida y asfixiante atmósfera que se respira en algunas de estas grandes casas. Hay muchos ejemplos, pero no podríamos empezar con otro mejor que el de la Oreja de los Eyre. A fin de semana creo que podría proporcionarle la verdad acerca de esto. Siempre suyo, Francis Finn.»

Mr. Nutt reflexionó un momento con la vista fija

en su bota izquierda, y de pronto gritó con voz monótona:

—Miss Barlow, escriba una carta a Mr. Finn, haga el favor.

«Querido Finn: Me parece que tendrá éxito. Necesito el original para que alcance la segunda edición del sábado. Su amigo, E. Nutt.»

Dictó esta carta como si fuera toda una palabra, y miss Barlow la escribió también como si fuera una sola palabra. Luego cogió otra galerada y el lápiz azul y sustituyó las palabras «sobrenatural» por la de «maravilloso» y la expresión «sometido» por la de «sojuzgado».

En semejantes actividades sorprendió a Mr. Nutt el sábado siguiente, así como nosotros lo sorprendimos dictando a la mecanógrafa con la misma monotonía y pasando el lápiz por la primera entrega de los descubrimientos de Mr. Finn. El preámbulo era una tajante invectiva contra los aviesos secretos de los príncipes y la desaparición de las más altas esferas. Aunque estaba escrita con gran violencia y en excelente inglés, el director, como de costumbre, había encargado de antemano a un redactor especializado que le pusiera subtítulos, y el artículo resultaba cortado en otros tantos capítulos que decían: «Los nobles y el veneno», «La Oreja imponente», y otros muchos tan sugestivos. Luego seguía la leyenda de la Oreja, como una ampliación de la primera carta, y un relato sustancioso y elocuente de sus nuevos y jugosos descubrimientos.

«Sé que es práctica seguida por los periodistas empezar a contar los acontecimientos por los pies, a lo que llaman titulares. No ignoro que el periodismo consiste, principalmente, en saber decir, por ejemplo, «¡Lord Jones ha muerto!» a un público que ni siquiera sabe que lord Jones vivía. Opinamos que esta práctica del periodismo, como otras muchas, es una mala costumbre, y que *The Daily*

*Reformer* ha de dar ejemplo de estas cosas como en todo, y nos proponemos contar las cosas como ocurrieron, paso a paso, dando su verdadero nombre a cada persona, algunas de las cuales están dispuestas a confirmar su testimonio. En cuanto a los enunciados sensacionales que suelen servir de titulares, irán al final.

»Me paseaba por un camino de vecindad que atravesaba un pomar de Devonshire que proclamaba la sidra de ese nombre, cuando me encontré, de pronto, en un lugar tan pintoresco como el camino que a él me llevó. Era una posada larga y achatada, consistente en una barraca y dos pajares, todo cubierto por esa badana entre morena y gris, que parece una pelambrera prehistórica. Pero sobre la puerta había un letrero que le daba el nombre de «Dragón Azul», y bajo el dragón, una de esas largas y rústicas mesas que se veían al aire libre a la puerta de muchos mesones ingleses antes que los abstemios, y entre ellos los cerveceros, destruyesen estas libertades. A esta mesa se sentaban tres caballeros que podían haber vivido un siglo atrás.

»Ahora que los conozco mejor, no tengo dificultad alguna en descifrar sus caracteres distintivos; pero entonces me produjeron la impresión de tres aparecidos en cuerpo y alma. La figura dominante, tanto porque era mayor en las tres dimensiones como por ocupar el centro de la larga mesa, frente a mí, era un tipo alto y gordo, vestido de riguroso luto, de cara rubicunda y casi apoplética: pero casi calvo y de semblante hosco. Ni mirándolo con detenimiento acertaba yo a precisar en qué estribaba la impresión de antigüedad que producía, como no fuese el blanco alzacuello clerical que llevaba y los surcos que cruzaban su frente.

»Aún era menos fácil fijar la impresión que producía el que ocupaba el extremo de la mesa. A decir verdad, era un tipo vulgar que puede encontrarse en cualquier parte, de cabeza redonda y poblada de pelo negro y nariz chata; pero también vestía negro hábito clerical, el sombrero de teja, y comprendí por qué lo había relacionado con algo antiguo. Era un sacerdote católico romano.

»Acaso el tercero, que estaba al otro extremo de la mesa era el más interesante de los tres, aunque era menos corpulento y no vestía de tan estrafalario modo. Las mangas y los pantalones le venían excesivamente ajustados a sus flacos miembros. Su rostro enjuto y aquilino adquiría un aire de exagerada melancolía al hundir los huesudos carrillos en el cuello tieso de la camisa, a la antigua usanza de los caballeros, y sus cabellos, que debían de haber sido de un color subido, al lado de la tez amarillenta de su cara, parecían más bien rojos que rubios. El discreto, aunque desusado color de aquel cabello, llamaba poderosamente la atención, porque era largo, abundante y ensortijado. Pero, después de todo, creo que lo que me dio más impresión de antigüedad fueron, sencillamente, los vasos altos y antiguos y uno o dos limones. Y acaso también la misión que me había impuesto de asomarme a la historia.

»Como soy un reportero bragado y estaba, o me parecía estar ante una posada pública, no tuve que hacer gran alarde de audacia para sentarme a la mesa, pidiendo que me sirvieran sidra. El señor corpulento, vestido de negro, me pareció muy versado, especialmente en antigüedades locales. El hombrecillo en hábito talar, aunque hablaba mucho menos, me sorprendió por su gran cultura, y departimos a nuestro placer. Pero el viejo caballero del pantalón ajustado parecía mantenerse a distancia con cierto aire de altivez, hasta que deslicé la conversación hacia el duque de Exmoor y sus antepasados.

»Me pareció que el asunto embarazaba un poco a los otros dos; pero tuve la virtud de romper el silencio del tercero, quien, hablando con cierto miramiento y en tono propio de un caballero de elevada educación, abriendo pausados intervalos para chupar su larga pipa de canciller, procedió a contarme algunas de las más horribles historias que escuché en mi vida; cómo uno de los Eyre primitivos ahorcó a su propio padre, y otro arrastró a su mujer por la villa atada a su carro, y cómo un tercero había prendido fuego a una iglesia llena de niños, y otras atrocidades por el estilo.

»Algunos de los cuentos, no son adecuados para las planas de un periódico, como la historia de las Monjas Escarlata, la abominable historia del Perro Manchado, o lo que sucedió en la carretera. Y esta sarta de impiedades fluía de sus delgados labios con la mayor naturalidad, mientras se deleitaba sorbiendo el vino de su tallado vaso de cristal.

«Advertí que el hombretón que se sentaba frente a mí trataba de hacerle callar; pero como, por lo visto, sentía un respeto considerable ante el viejo caballero, no se atrevía a imponerle silencio de un modo violento. Y el pequeño sacerdote, que se sentaba al otro extremo, aunque no manifestase el menor temor ni embarazo, permanecía con la vista fija en la mesa y parecía escuchar el relato con pena.

»—Por lo que dice —advertí al narrador—, no parece usted tener en gran estima el linaje de los Exmoor.

»Me estuvo mirando un momento, durante el cual se adelgazaron y blanquearon aún más sus finos labios, y luego, deliberadamente, rompió el vaso y la pipa contra la mesa y se levantó, irguiéndose como un perfecto caballero y con el carácter inflamado de un demonio.

»—Estos caballeros —dijo— le dirán si tengo motivos para quererlo. La maldición de los Eyre pesa desde hace siglos sobre la comarca, y muchos han sufrido las consecuencias. Ellos saben que nadie las ha sufrido tanto como yo. —Y esto diciendo, aplastó un trozo de vidrio bajo sus tacones y se alejó entre los manzanos envueltos en luz crepuscular.

»—Es un caballero extraordinario —dije a los otros dos—. ¿Saben ustedes qué le ha hecho la familia Exmoor? ¿Quién es?

»El hombre corpulento me miró con un aire de toro hostigado, como si de pronto no comprendiese mi pregunta. Por fin me dijo:

»—Pero, ¿no sabe usted quién es?

»Le confirmé mi ignorancia, y optó por callarse. Entonces, el sacerdote, sin levantar la vista de la mesa, pronunció.

»—Es el duque de Exmoor.

»Luego, antes de que yo me recobrase de la sorpresa, añadió en la misma voz y con propósito de poner en orden las cosas:

»—Mi amigo, aquí presente, es el doctor Mull, bibliotecario del duque. Yo me llamo Brown.

»—Pero si ése es el duque —repliqué yo—, ¿por qué condena así a todos los duques antepasados?

»—Parece creer, realmente, que le han legado una maldición —me explicó el sacerdote llamado Brown. Y añadió con cierta indiferencia—: Por eso lleva peluca.

»—Pero, ¿usted cree esa leyenda de la fantástica oreja? —le pregunté, no sin haber tardado en comprender—. Había oído hablar de eso, pero siempre me pareció una supersticiosa exageración del vulgo, que seguramente responderá a un hecho más sencillo. A veces he pensado que sería una versión adulterada de ciertas costumbres bárbaras de mutilación. En el siglo dieciséis solían cortar las orejas a ciertos delincuentes.

»—Me resisto a creerlo —contestó el cura, pensativamente—, pero no repugna a la ciencia o a las leyes naturales que la deformación de una persona reaparezca con frecuencia en su familia, tal como el tener una oreja más desarrollada que la otra.

»El corpulento bibliotecario, que había hundido la borrasca de su frente en sus gruesas manazas, como abrumado por el cumplimiento de su deber, gruñó:

»—No. Después de todo, no son ustedes justos con él. Comprendan: no es que trate de defenderle ni quiera hacer alarde de mi fidelidad. Se ha conducido como un tirano conmigo, como con todos. No crean que porque se haya sentado aquí como cualquiera, no sea un gran señor en el peor sentido de la palabra. Es capaz de hacer venir a uno de una milla de distancia para que toque una campanilla que haya a una yarda, con el fin de llamar a otro que está a tres millas para que le traiga una caja de fósforos que se halla a tres pasos. Necesita un criado para que le tenga los gemelos de teatro...

»—Pero no un ayuda de cámara para cepillarle la ropa —atajó el sacerdote—; porque el ayuda de cámara querría también cepillarle la peluca.

»El bibliotecario se volvió al sacerdote como si olvidara mi presencia. Estaba extraordinariamente agitado, y creo que algo acalorado por el vino.

»—No sé cómo lo sabe, padre Brown; pero es cierto. Todos se han de desvivir para servirle en las cosas más insignificantes, excepto vestirlo. Y tiene gran empeño en vestirse completamente a solas y sin testigos. Bastaría que sorprendiese a cualquiera junto a la puerta de su dormitorio para arrojarlo a patadas de la casa, sin más explicaciones.

»—Parece un camarada agradable —observé yo.

»—No —replicó el doctor Mull con la mayor sencillez—, pero a eso me refería cuando dije que eran ustedes injustos con él. Señores, el duque siente realmente la amargura de la maldición de que hablaba. Con sincera vergüenza y con horror oculta bajo la peluca roja algo que aniquilaría a los hijos del hombre si lo viesen. Eso me consta, y también sé que no se trata de una simple desfiguración, como la mutilación de un delincuente o una hereditaria desproporción en los rasgos. Sé qué es algo peor que eso, pues me contó un testigo presencial de una escena que no puede inventarse, que una persona mucho más fuerte que nosotros trató de descubrir el secreto y salió huyendo como un diablo.

»Traté de decir algo, pero Mull siguió hablando desde la caverna de sus manos, como si yo no existiese:

»—No tengo ningún inconveniente en contárselo, padre, porque me parece defender así al pobre duque mejor que callando. ¿Se acuerda usted de cuando estuvo a punto de perder todas sus haciendas?

El sacerdote movió la cabeza, y el bibliotecario empezó a contar la historia tal como se la contó su predecesor en el mismo cargo, que fue su dueño e instructor, y en quien creía a ciegas. Hasta cierto punto, no se trata más que de la historia del ocaso de una gran familia, la historia de un procurador aventurero. Este procurador, no obstante, tuvo la precaución de timar legalmente, si vale la expresión. En vez de derrochar los fondos que se le habían confiado, se aprovechó de la negligencia del duque para llevarlo a un callejón sin salida en el terreno económico, llegando a poner a la familia ducal en la necesidad de que el leguleyo la sostuviese.

»El procurador se llama Isaac Green, pero el duque siempre le llamaba Elíseo, sin duda porque era calvo, aunque no contaba más de treinta años. Se había enriquecido rápidamente con negocios sucios desde el principio, empezando por ser un delator y convirtiéndose luego en un prestamista;

pero como procurador de los Eyre, como ya he dicho, tuvo la precaución de no apartarse un momento del camino legal, hasta que creyó llegado el momento de descargar el último golpe. Fue durante la comida, y el viejo bibliotecario me decía que jamás podría olvidar la que se armó cuando el muy ladino, con una sonrisa cuajada en los labios, propuso al gran propietario repartir sus haciendas entre los dos. Nadie podía prever el resultado, pues el duque, sin contestar palabra, cogió un jarro y se lo rompió contra la calva con la misma energía impulsiva que hoy ha podido verle usted al romper un vaso. Le abrió una herida triangular en el cráneo, que alteró la mirada del abogado, pero no su sonrisa.

»Se levantó tambaleándose y devolvió golpe por golpe, como suelen hacer los de su calaña. "Me alegro —dijo—, pues ahora podrá pasar a mí toda la hacienda."

»Exmoor parece que estaba blanco como un cadáver, pero aún echaba fuego por los ojos, al gritar: "La ley puede dártela, pero tú no la tomarás..." "¿Por qué?" "Porque significaría la ruina para mí, y si tú la aceptas, *me quitaré la peluca*... A ti, cobarde, todo el mundo puede verte la cabeza calva; pero nadie puede ver la mía y seguir viviendo."

»Bien, digan y piensen de esto lo que quieran. Pero Muller juró solemnemente que el procurador, después de agitar el puño en el aire un momento, salió corriendo de la sala y nunca se le ha vuelto a ver por la comarca. Y desde entonces Exmoor causa más miedo como brujo que como propietario y magistrado.

»He de advertir que el doctor Mull relató esta historia con abundancia de ademanes teatrales, poniendo en sus palabras un apasionamiento que me pareció partidista. No dejé de pensar que todo aquello podía ser producto de las bravuconadas de unos y de las habilidades de otros, pero antes de acabar esta primera parte de mi relato he de decir, en honor del doctor Mull, que mis investigaciones han confirmado su historia. He sabido por un viejo boticario de la villa que una noche se le presentó un señor calvo vestido de etiqueta y que dijo llamarse Green, para que le curase una herida triangular en la frente. Y revisando la Prensa antigua y los archivos judiciales, he descubierto que realmente hubo un pleito, iniciado, al menos, por un tal Green contra el duque de Exmoor.»

Mr. Nutt, del *The Daily Reformer*, escribió algunas palabras incoherentes en la cabecera de aquel escrito, añadió unos garabatos misteriosos a un lado y ordenó a Miss Barlow con su monótona voz de siempre:

—Escriba una carta a Mr. Finn:

«Querido Finn: Su original va, pero he tenido que poner unos títulos, y nuestro público no aguantaría en esa historia un sacerdote católico; escriba de cara al pueblo. Se lo he cambiado por Mr. Brown, un espiritista.

»Suyo, E. Nutt.»

Dos días después hallamos al activo y juicioso director leyendo con ojos que se le iban redondeando más a medida que avanzaba la lectura, la segunda parte del relato que hacía Mr. Finn de los misterios de la alta sociedad. He aquí cómo empezaba:

«Acabo de hacer un sorprendente descubrimiento. Confieso francamente que es algo por completo distinto de lo que esperaba descubrir, y que producirá en nuestros lectores un efecto mucho más impresionante de lo que puedan figurarse. Me atrevo a decir, sin vanidad alguna, que lo que ahora estoy escribiendo se leerá con interés en toda Europa y especialmente en América y en las Colonias. Y cuanto tengo que decir lo he oído sin moverme de aquella mesa rústica del mismo pomar de que el otro día hablaba.

»Todo lo debo al padre Brown, tan pequeño de cuerpo como grande de alma. El corpulento bibliotecario se había marchado, avergonzado acaso de su lengua larga, o intranquilo por la arrebatada desaparición de su misterioso amo. El caso es que echó a correr tras el duque por entre los manzanos. El padre Brown cogió un limón y se lo quedó contemplando con extraña expresión de placer.

»—¡Qué color tan bonito tiene el limón! —dijo—. Una cosa no acaba de gustarme en la peluca del duque..., el color.

»—No acabo de comprenderle —le dije.

»—Me parece que debe de tener sus buenas razones para cubrir sus orejas, como el rey Midas —prosiguió el sacerdote, con una sencillez que en aquellas circunstancias tenía algo de petulante—. Comprendo que es mejor cubrirlas con cabellos que con hojas de latón o de cuero. Pero ya que prefiere el cabello, ¿por qué no procura que parezca natural? Nadie en el mundo tiene el pelo de ese color. Parece una nube arrebolada que viene por el bosque. Si realmente se avergüenza de la maldición de su familia, ¿por qué no la oculta mejor? ¿Quiere que se lo diga? Pues porque no se avergüenza. Está orgulloso de la maldición.

»—Es una peluca muy fea para estar orgulloso de ella..., tan fea como su historia —le dije.

»—Considere las cosas —me replicó el curioso hombrecito— por lo que usted mismo siente. No quiero decirle que sea usted más fachendoso o ni más ecuánime que nosotros, pero, ¿no siente de un modo vago que una verdadera maldición de familia es algo que satisface? ¿Se avergonzaría usted o no estaría orgulloso si el heredero del horrendo Glamis le llamara su amigo, o si la familia de Byron le hubiera confiado a usted solo las diabólicas aventuras de su estirpe? No critiquemos con demasiada dureza a los aristócratas porque tengan las orejas flojas como las nuestras o porque se den tono con sus mismas penas.

»—¡Diablo! —exclamé—. Pues es verdad. En la familia de mi madre hubo un desterrado y ahora recuerdo que eso me ha fortalecido en horas de abatimiento.

»—Y piense —continuó él— en el torrente de sangre y de veneno que prorrumpió de su boca apenas usted le nombró sus antepasados. ¿Por qué ha de mostrar a todo desconocido ese museo de horrores, si no está orgulloso de poder enseñarlo? No oculta su peluca, no oculta su sangre, no oculta su maldición de familia, no oculta los crímenes de los suyos; *pero...*

»La voz de aquel hombre cambió tan de repente, agitó la mano con tal violencia y se deslumbraron sus ojos con tan vivas llamas, que me produjo el efecto de una explosión sobre la mesa.

»—Pero —acabó—*oculta su tocador.*

»La tensión de mis nervios llegó al colmo al ver que en aquel momento apareció el duque en silencio, con su pausado caminar y su peluca de sol poniente por entre los árboles en compañía de su bibliotecario. Antes que pudiera oír, el padre Brown añadió con calma:

»—¿Por qué oculta el secreto de lo que hace con su peluca? Porque no guarda el secreto que suponemos.

»El duque dio la vuelta a la esquina de la posada y se sentó a la cabecera de la mesa con toda su nativa dignidad. El bibliotecario ocupó su puesto, sentándose con el aire de embarazo de un oso. El duque se dirigió al sacerdote con mucha seriedad:

»—Padre Brown —dijo—, el doctor Mull me comunica que ha venido usted aquí a solicitarme algo. No profeso ya la religión de mis abuelos, pero en consideración a ellos y a las entrevistas que hemos tenido, estoy dispuesto a oírle con mucho gusto. Pero supongo que querrá usted hablarme a solas.

»Como caballero me veía obligado a retirarme, pero como periodista había de hacerle el sordo y quedarme allí. Antes que yo pudiera decidir el conflicto, el sacerdote me detuvo con un ligero ademán y dijo:

»—Si Su Excelencia accede de veras a mi petición o aún tengo el derecho de darle un consejo, le rogaría que se hallasen presentes cuantas más personas mejor. En esta comarca he conocido muchísimos desgraciados, aun entre los de mi religión, atemorizados por el encanto que le imploro que rompa de una vez. Quisiera que estuviesen aquí todos los habitantes de Devonshire para que se lo viesen hacer.

»—¿Qué han de verme hacer? —preguntó el duque, enarcando las cejas.

»—Quitarse la peluca —dijo el padre Brown.

»El rostro del duque se mantuvo inalterable, pero dirigió al sacerdote una mirada vidriosa de tan horrenda expresión como jamás he visto otra. Vi agitarse al bibliotecario como si se tambalease por los efectos de un golpe, y por un momento no pude apartar de mi imaginación que los árboles que nos rodeaban estaban poblados de demonios y no de pájaros.

»—Se lo perdono —dijo el duque, con acento de aviesa lástima—. No accedo. Si le mostrase una parte insignificante de la carga horrorosa que he de soportar yo solo, caería a mis pies chillando y suplicando que no le enseñase más. Le evitaré la desgracia. No podría usted borrar ni la primera letra de lo que está escrito en el altar de Dios Desconocido.

»—Conozco al Dios Desconocido —dijo el sacerdote con un convencimiento que se erguía firme como una torre—. Sé cómo se llama: es Satanás. El verdadero Dios se hizo carne y habitó entre nosotros. Y yo le digo: mientras haya hombres gobernados solamente por el misterio, este misterio es una iniquidad. Si el diablo te dice que es demasiado horrible mirar a una cosa, mírala. Si te dice que es demasiado horrible oír una cosa, óyela. Si crees que algo es insoportable, sopórtalo. Yo conjuro a Su Excelencia que acabe con esa pesadilla aquí mismo y en el acto.

»—Si lo hiciese —dijo el duque en voz baja—, usted y todo lo que cree y todo aquello por que vive se marchitaría y moriría. Sólo tendría usted un momento para conocer la gran Nada antes de morir.

»—La cruz de Cristo sea entre mí y el mal —dijo el padre Brown—. Quítese la peluca.

»Yo me apoyaba en la mesa sin poder dominar mis nervios, y en el transcurso de aquel duelo de palabras se me ocurrió la idea.

»—¡Excelencia! —grité—, es usted un farsante. Se quita la peluca o se la quito yo.

»Pueden detenerme por agresión, pero me alegro de haber hecho lo que hice. Cuando me contestó con la misma energía: "No quiero", me arrojé sencillamente contra él. Luchó como si le ayudasen todas las fuerzas del infierno, pero le obligué a bajar la cabeza hasta que la peluca se le cayó. Confieso que durante la lucha mantuve los ojos cerrados.

»Los abrí al oír un grito de Mull, que entonces estaba también al lado del duque. Los dos nos inclinábamos sobre la cabeza calva, sin peluca, del noble. Y el silencio que siguió fue roto por el bibliotecario al exclamar:

»—¿Qué significa esto? ¡Pero si no tiene nada que ocultar! ¡Sus orejas son como las de cualquier otro hombre!

»—Sí —dijo el padre Brown—, eso es lo que tiene que ocultar.

»El sacerdote se acercó y, con gran sorpresa para

todos, no examinó las orejas, sino la frente desnuda, descubriendo una cicatriz triangular que señaló con cómica seriedad, mientras decía con la mayor cortesía:

»—Tengo el gusto de presentarles a Mr. Green, quien, por lo visto, entró en posesión de toda la hacienda.

»Y ahora me será permitido decir a los lectores de *The Daily Reformer* lo que me parece más interesante de todo este asunto. Una transformación tan precipitada, que les parecerá a ustedes un cuento de hadas persa, por su colorido y la rapidez con que suceden los hechos, no se ha desviado ni un momento, salvo el de mi agresión, de los cauces legales y constitucionales, desde un principio. Este hombre, con su herida y sus orejas regulares, no es un impostor. Aunque en cierto modo lleva una peluca ajena y pretende llevar orejas que no le pertenecen, no ha robado a otro el título nobiliario. Él es el único y verdadero duque de Exmoor. He aquí lo que sucedió. El viejo duque tenía realmente una deformación de la oreja, más o menos hereditaria. Esta circunstancia le traía apesarado, y probablemente la invocó como un maldición en la escena violenta que debió indudablemente desarrollarse antes de arrojar contra la frente de Green el primer objeto de la mesa que le vino a mano. Pero el resultado fue muy otro. Green reclamó sus derechos y obtuvo la hacienda. El noble desposeído se suicidió o murió en el olvido. Al cabo de un tiempo prudencial, el magnífico Gobierno inglés revivió el extinguido linaje de Exmoor, confiriéndolo, como de costumbre, a la persona más importante, la que era dueña de la propiedad.

»El nuevo noble aprovechó las antiguas leyendas feudales, acaso porque envidiaba y admiraba a quienes las habían vivido, y millares de ingleses tiemblan ante un misterioso caudillo, cuyo antiguo destino lo corona de estrellas ominosas, cuando en realidad están temblando ante un tipo que hace doce años no era más que un leguleyo y un prestamista. Aquí tenemos un caso típico de lo que es nuestra aristocracia y de lo que seguirá siendo hasta que Dios nos envíe hombres más valientes.

Mr. Nutt dejó el manuscrito y gritó con inusitada aspereza:

—Miss Barlow, haga el favor de escribir una carta a Mr. Finn:

«Querido Finn: ¿Está loco? No podemos poner esto. Yo quería vampiros y los antiguos tiempos de la aristocracia dándose la mano con la superstición. Eso es lo que les gusta. Pero ha de saber que los Exmoor nunca nos perdonarían esto. ¿Y qué diría el público entonces? ¡Vamos a ver! Sir Simon es uno de los mejores amigos de Exmoor, y esto sería la derrota de ese primo de los Eyre, que es nuestro candidato en Bradford. Además, nuestro jefe está furioso por no haber podido obtener el título de nobleza el año pasado. Me mandaría a tomar viento por teléfono si se lo estropeaba ahora con semejante dislate. ¿Y qué decir de Duffey? Nos está escribiendo interesantísimos artículos sobre "El Talón del Normando". ¿Y cómo iba a hablar de los normandos si ese hombre no es más que un procurador? Sea usted razonable.

»Suyo, E. Nutt.»

Mientras miss Barlow acababa de escribir velozmente, el director cogió las cuartillas, las rasgó y las arrojó al cesto, no sin haber sustituido antes maquinalmente, y a fuerza de la costumbre, la palabra «Dios» por la palabra «circunstancias».

## VIII

# EL FIN DE LOS PENDRAGON

El padre Brown no estaba de humor para aventuras. Había caído enfermo por exceso de trabajo, y cuando empezó a restablecerse, su amigo Flambeau se lo había llevado a un viaje por mar, en un pequeño yate con Sir Cecilio Fanshaw, joven señor de Cornualles y entusiasta de las costas de su país. Pero Brown todavía estaba débil y no tenía la menor afición al mar; sin embargo, procuraba sobreponerse hasta el punto de que no sufriera su educación y el afecto que sentía por sus amigos. Cuando éstos alababan el color de la puesta de sol y de los riscos volcánicos, se mostraba de acuerdo. Cuando Flambeau señalaba una roca que tenía figura de dragón, la miraba y le encontraba gran semejanza. Cuando Fanshaw, con su peculiar exaltación, indicaba una roca que recordaba a Merlín, se volvía a contemplarla y asentía moviendo la cabeza. Cuando Flambeau preguntaba si no se parecía una angostura del río a la entrada del país de las hadas, contestaba que sí. Escuchaba las más triviales observaciones con la misma distracción de desaliento. Oyó que aquella costa estaba abandonada de todos menos de los marineros que se preciaban de serlo, que el gato del bajel dormía, que Fanshaw no encontraba su boquilla por ninguna parte, que el piloto pronunciaba el oráculo: «Dos ojos abiertos marchan bien; un ojo cerrado, se hunde», y Flambeau decía a Fanshaw que sin duda quería significar con esto que el piloto debía mantenerse con los ojos muy abiertos y vigilantes y que Fanshaw replicaba que, aunque le pareciese raro, no quería decir esto, que quería decir que mientras viesen dos de las luces de la costa, una cerca y otra más distante, estarían en el centro de la madre del río, pero que si una luz se ocultase tras la otra, navegarían sobre rocas. Oyó decir a Fanshaw que en su condado abundaban las leyendas y los dichos por el estilo, y que aquella parte de Cornualles se disputaba con Devonshire los lauros que merecieron los marinos de Isabel. Según él, de aquellas calas e islotes habían salido navegantes al lado de los cuales Drake sería un hombre de tierra, que Cornualles no sólo había tenido héroes, sino que aún los tenía; que no lejos de allí vivía un viejo almirante retirado que había hecho incontables viajes a cual más lleno de aventuras y que en su juventud descubrió el último grupo de ocho islas del Pacífico, que se añadió al mapa del mundo. El tal Cecilio Fanshaw era una de esas personas que se desviven por contagiar a los demás su entusiasmo, muy joven, rubio y encarnado, con un perfil enérgico y un carácter vehemente, aunque de un tipo delicado y poco varonil, que contrastaba grandemente con el de Flambeau, de anchas espaldas, cejas negras y aire bravucón de mosquetero.

Brown lo escuchaba y lo miraba todo como el cansado viajero cree oír una música en el ruido de las ruedas del tren o un enfermo ve los dibujos de la pared de su alcoba empapelada. Es difícil adivinar a qué responde el estado de ánimo de un convaleciente, pero en el de Brown tal vez influía lo poco familiarizado que estaba con el mar, y apenas el río se estrechó como el cuello de una botella, pareció despertar para fijarse en todo como un niño. Acababa de ponerse el sol y era la hora en que el aire y el agua brillan de un modo especial, dejando lo demás negro por contraste. Pero aquella tarde había una atmósfera tan transparente, que hubiérase dicho que entre los hombres y la naturaleza desaparecía ese cristal ahumado que suele haber de ordinario, y las orillas del río, los bosques, las rocas aparecían con una claridad tan intensa de colores, que el padre Brown no pudo menos de avivar los sentidos en un fervor romántico ante la belleza del paisaje.

El río era todavía bastante ancho y profundo para que por él pudiera deslizarse una embarcación de recreo, tan pequeña como la de ellos; pero a cada curva parecía encajonada, y los árboles de la orilla producían el efecto de abrirse y de cerrarse en puentes pintorescos, pasando la nave de la delicia de una calle a la romántica sombra de una umbría o de un túnel. Fuera de esto, nada más se ofrecía a la vista que pudiera dar pábulo a la fantasía de Brown. En las orillas no vio otras personas que un grupo de gitanos cargados de haces de leña y de mimbres cortados en el bosque, y aún vio otra cosa que, si nada tenía de particular, no era frecuente en un paraje tan distante: una señora de pelo negro y sin sombrero guiando a remo su propia canoa. Si el padre Brown dio a unos y a otros alguna importancia, los olvidó en la próxima curva del río, que puso a la vista un objeto singular.

El agua parecía ensancharse y rajarse dejando en

el centro una isla que semejaba un barco que se deslizaba acercándose a ellos, un barco con la proa muy elevada, o para más exactitud, con una gran chimenea, pues en el extremo más próximo se levantaba una construcción de forma extraña que nadie podía relacionar, a primera vista, con ningún estilo o finalidad. No tenía una altura exagerada, mas era lo suficiente alta para que por su anchura se pudiera llamar torre. Estaba construida por completo de madera, y con la mayor irregularidad y extravagancia. Algunas tablas y vigas eran de roble viejo, otras de la misma madera cortada recientemente; las había también de pino blanco y aun de pino pintado con alquitrán. Estos troncos negros estaban en posición oblicua o entrecruzados en todos los ángulos, dando el conjunto un aire de remiendo chapucero. Se veían una o dos ventanas pintadas y construidas según estilo antiguo, pero con mucho más arte. Los excursionistas contemplaban aquello con la impresión que experimentamos cuando algo nos recuerda algo, pero con la seguridad de que es una cosa por completo diferente.

El padre Brown, aun cuando dudaba, demostraba un claro juicio en el análisis de sus dudas. Se sorprendió reflexionando que aquella rareza consistía en la forma especial que la daba un material inapropiado, como si viéramos una chistera de plomo o una casaca de tartán. Recordaba haber visto maderas de diversas clases entrelazadas así en alguna parte, pero nunca en aquella forma arquitectual. Momentos después, una brecha abierta entre los espesos árboles le permitió ver lo que buscaba, y se echó a reír, porque apareció una casa de madera como algunas de los que todavía se encuentran en Inglaterra, y especialmente en el antiguo Londres de Shakespeare. El sacerdote llegó pronto a la conclusión de que estaban ante una casa de campo y de antigua construcción, con todas las comodidades interiores y un jardín delante.

—¿Qué diablos es eso? —preguntó Flambeau, que aún miraba la torre.

Fanshaw, a quien le brillaban los ojos, habló con aire de triunfo:

—¡Ah! Ya me parecía que no había visto nunca algo semejante; por eso lo he traído aquí, amigo. Ahora verá si exageraba sobre los marinos de Cornualles. Esta casa es la del viejo Pendragon, a quien llamamos el *Almirante*, aunque se retiró antes de obtener el grado. La vida de Raleigh y de Hawkins no es más que un recuerdo para la gente de Deven; mientras la de Pendragon es un hecho moderno. Si la reina Isabel se levantara de la tumba y entrara por este río en una barca dorada, sería recibida por el *Almirante* en una casa igual que aquella en que solían recibirla, y oiría a un capitán inglés hablándole con el mismo calor de los suyos, de tierras recién descubiertas con navíos pequeños, y aun le parecería estar comiendo con Drake.

—En el jardín —repuso el padre Brown— hallarían una cosa extraña que no sería grata a sus ojos de renacentista. La arquitectura doméstica de su tiempo es encantadora a su modo; pero esas torres están reñidas con el estilo.

—Pero, no obstante —replicó Fanshaw—, constituyen la parte más romántica e isabelina del asunto. Los Pendragon construyeron esa torre en los días de las guerras españolas, y aunque ha sido remendada y aun reconstruida por otra razón, se le ha dado siempre el estilo antiguo. Dice la historia que la esposa de sir Peter Pendragon la erigió aquí y tan alta porque desde arriba podía divisar el ángulo por donde los bajeles llegaban a la desembocadura del río, y quería ser la primera en ver el de su marido, cuando volvía de batir a los españoles.

—¿Por qué otra razón cree usted que ha sido reconstruida? —preguntó el padre Brown.

—¡Oh! También acerca de eso hay una historia muy curiosa —dijo el joven caballero con desenfado—. Están ustedes en una tierra de historias extraordinarias; por aquí pasaron el rey Arturo y Merlín, y antes que ellos, las hadas. Cuenta la historia que sir Peter Pendragon, que sospecho tendría algún defecto de pirata como tenía las virtudes del marinero, traía cautivos a tres españoles con intención de llevarlos luego a la Corte de Isabel. Pero como era de arrebatado e inflamable temperamento, se trabó de palabras con uno de ellos, lo cogió por el cuello y lo tiró al mar. Otro de los españoles, que era hermano del primero, sacó inmediatamente la espada y cerró contra Pendragon, quien se defendió y después de recibir tres heridas, atravesó a su adversario con la espada. Mientras esto sucedía, la embarcación había entrado en la desembocadura del río, donde había relativamente poca agua, y el tercer español se arrojó por la borda y empezó a nadar hacia la orilla, deteniéndose al tocar fondo, de modo que el agua le llegaba sólo a la cintura. Entonces se volvió hacia el barco y con voz de trueno y agitando los brazos como un profeta que pide al cielo que castigue a una ciudad malvada, gritó a Pendragon que él aún vivía y seguiría viviendo, que viviría siempre, y que generación tras generación nadie de la casa de los Pendragon volvería a verlo ni a saber de él, pero que tendría señales inequívocas de que él y su venganza se mantenían vivos. Y esto dicho, se zambulló bajo una ola y se ahogó o nadó tanto rato bajo el agua que nunca más se le volvió a ver.

—Ya vuelve a estar ahí esa joven de la canoa —dijo Flambeau, a quien una mujer hermosa interesaba más que una leyenda—. Parece que está intrigada como nosotros por esa torre extraña.

La señorita de cabellos negros, en efecto, dejaba que su lancha se deslizase lentamente y en silencio, mientras contemplaba ella la torre con una curiosidad que se revelaba en la expresión de su cara ovalada y cetrina.

—Déjese de muchachas —dijo Fanshaw, con impaciencia—. Hay muchas en el mundo, pero acaso no hay otra cosa parecida a la torre de Pendragon. Como pueden suponer, la maldición del español precedió a una serie de supersticiones y escándalos y, sin duda, como comprenderán ustedes, toda desgracia que luego afectaba a esta familia de Cornualles se atribuía a ella por la credulidad campesina. Pero lo que no puede negarse es que esta torre se ha quemado dos o tres veces, y que la familia no ha sido muy dichosa, pues más de dos veces han perecido en naufragio parientes cercanos de el *Almirante*, y uno al menos, según mis noticias, en el mismo punto en que sir Pedro arrojó por la borda al español.

—¡Qué lástima! —exclamó Flambeau—. Ya se marcha.

—¿Cuándo le contó su amigo el *Almirante* esta historia de familia? —preguntó el padre Brown, mientras la muchacha remaba, sin la menor intención de extender el interés puesto en la torre, al yate que Fanshaw había hecho acercarse al lado de la isla.

—Hace muchos años —contestó Fanshaw—. Ahora ya hace tiempo que no ha vuelto al mar, aunque habla de él con el mismo entusiasmo. Creo que existe un pacto o algo así. Bien; ya estamos en el muelle. Vamos a ver al viejo lobo de mar.

Pasaron por debajo de la torre y el padre Brown, ya porque se sentía mejor en tierra firme, ya porque le había interesado algo que vio en la orilla opuesta, pareció reanimarse. Entraron en una avenida que se alargaba entre dos cercas de madera delgada y de color pardo, como las que se ven en algunos parques o jardines, por encima de las cuales desbordaban de trecho en trecho las ramas de los árboles. Hubiera parecido la entrada de una finca señorial, si la hubiesen flanqueado dos torres en vez de una y sin la circunstancia de que el camino daba tantas vueltas que se perdía de vista el edificio entre un bosque cuya extensión era excesiva para una isla como aquélla. Hacía rato que caminaban, cuando Fansaw se detuvo de pronto señalando un objeto que salía de la empalizada, produciendo el efecto de un cuerno, aunque, mirándolo de más cerca, vieron que se trataba de una hoja ligeramente corva, de acero, que brillaba en la escasa luz de la tarde.

Flambeau, que, como todos los franceses, había sido soldado, exclamó, impresionado:

—¡Pero si es un sable! Y creo reconocer su clase. Pesado y corvo, pero más corto que el de caballería; suelen usarlo en artillería y en...

La hoja desapareció de un tirón por el resquicio que había abierto y penetró con más fuerza, rajando la cerca hasta abajo con un ruido estridente. Luego, se retiró y volvió a descargarse hendiéndose algunos pies más allá, y después de algunas sacudidas, acompañadas de juramentos que salían de la oscuridad interior, un puntapié enérgico mandó el trozo de cerca a mitad del camino, dejando un portillo abierto en la maleza.

Fanshaw miró adentro y lanzó una exclamación de sorpresa:

—¡Mi querido *Almirante*! ¿Se abre usted a machetazos una puerta siempre que quiere salir a paseo?

Salió de la oscuridad una maldición, seguida de una carcajada y de estas palabras:

—No. De todos modos he de tirar esta valla, que no sirve más que para estropear las plantas, y nadie más que yo lo puede hacer. Pero me limitaré a derribar otro trozo y saldré a saludarlos.

Y de dos tajos, abrió otra rendija y tumbó la parte de cerca que quedaba suelta, con lo que se hizo una entrada de catorce pies de ancho, por la que salió al camino abriéndose paso entre los abrojos.

A primera vista, corroboraba cuanto dijo Fanshaw acerca de sus cualidades de pirata; llevaba un sombrero de paja como los que usan los segadores contra el sol, con el ala delantera vuelta hacia arriba y los ángulos hundidos por debajo de las orejas, orlando su frente en forma de media luna como el sombrero de Nelson. Llevaba también una blusa azul ordinaria que, combinando con los pantalones blancos, le daban aspecto de marino. Era alto y flojo y su cansado andar no era propio de un marino, pero lo recordaba y empuñaba un sable corto que parecía un chafarote, pero mucho más pesado. Su rostro parecía el de un hombre enérgico, no sólo porque estaba rasurado, sino porque no tenía cejas como si los elementos se lo hubieran arrancado todo. Sus ojos eran saltones y de mirada penetrante, y su color llamaba la atención porque, sin ser del todo tropical, recordaba el de la naranja de sangre, es decir, que aunque era sanguíneo tenía algo de amarillento, y el padre Brown se dijo que nunca había visto una cara que mejor evocase todas las novelas que se han escrito sobre las tierras tropicales.

Cuando Fanshaw hubo presentado al huésped a sus dos amigos, volvió a referirse a la destrucción de la cerca. El *Almirante* no le dio al principio importancia, hablando de aquello como de una providencia de jardinería, pero luego se rió con todas sus fuerzas y gritó con una mezcla de impaciencia y buen humor:

—Bien, acaso pongo en esto un poco de ferocidad y me complazco en la destrucción de algo.

Eso le pasaría a cualquiera que pusiera su única complacencia en descubrir alguna nueva isla salvaje y tuviera que abrirse paso por la selva a machetazos. Cuando recuerdo que he tenido que cortar milla y media de maleza espinosa con un viejo machete que no cortaba ni mucho menos como éste, y luego pienso que me veo reducido a este bosque de juguete por un compromiso garrapateado en una Biblia de familia, vaya, que...

Y levantando el acero, de un formidable tajo partió la cerca de arriba abajo.

—Me gustaría hacer esto —dijo riendo, al tiempo que arrojaba el arma—. Pero vamos a casa, que ustedes han de comer algo.

Ante la casa había un prado con tres jardincillos circulares, uno de tulipanes encarnados, otro de tulipanes amarillos, y otro de flores blancas, que los visitantes no conocían y pensaron que eran exóticas. Un jardinero rollizo, peludo y de mala catadura estaba colgando el rollo de una manguera. Los últimos rayos del sol daban en los ángulos de la casa, sacando aquí y allá reflejos que recordaban los colores de las flores del jardín, y en un espacio limpio de árboles, mirando hacia el río sobre un trípode de metal, había un telescopio. Al pie de las gradas del portal se veía una mesa verde de jardín, como anunciando que alguien acababa de tomar el té allí. La entrada estaba flanqueada por dos enormes mascarones de piedra, con los ojos vacíos, como dicen que son los ídolos de los mares del Sur, y en la viga del dintel de la puerta había algunas confusas tallas de un dibujo casi tan bárbaro como el de las piedras.

Mientras entraban los otros, el desmedrado clérigo se subió a la mesa y, después de calarse las gafas, estuvo examinando con toda naturalidad las molduras de la viga de roble. El almirante Pendragon se detuvo sorprendido, aunque sin manifestar molestia; pero a Fanshaw le divirtió tanto ver al curita como un muñeco en su pedestal, que se echó a reír. El padre Brown no hizo caso ni de la sorpresa del uno ni de la risa del otro.

Estaba examinando las tallas, que, aunque muy borrosas y oscuras, tenían para él algún sentido. La primera parecía el esquema de alguna torre u otra construcción, coronada por algo que semejaba unas cinturas ondulantes. La segunda estaba más clara: una galera de los tiempos isabelinos con olas decorativas debajo, pero interrumpidas por una curiosa roca mellada, que era un defecto de la madera o una representación convencional del agua que entraba. La tercera representaba la mitad superior de una forma humana, terminada en una línea rizada como las olas; la cara estaba borrosa y sin facciones, y los dos brazos tiesamente levantados al aire.

—Bueno —murmuró el padre Brown, pestañeando—, aquí tenemos la leyenda del español bastante clara. Aquí está, en el mar, lanzando maldiciones; y aquí están también las maldiciones, la nave naufragando y la torre de Pendragon ardiendo.

Pendragon movió la cabeza con aire de condescendiente alegría.

—¿Y cuántas otras cosas puede significar eso? —dijo—. ¿No sabe usted que esta mitad de hombre, como medio león o medio ciervo, es algo muy común en heráldica? Esa línea bajo el barco puede ser una de esas líneas *partiper-palos*, dentadas, creo que las llaman. Y aunque la tercera figura no es muy heráldica, lo sería suponiendo que la torre está coronada de laurel y no de fuego.

—Pero es muy raro —dijo Flambeau— que eso confirme tan exactamente la leyenda.

—¡Ah! —replicó el viajero escéptico—. Pero no sabe usted cuántas leyendas se habrán forjado con esas viejas figuras. Además, no es ésa la única leyenda antigua. Fanshaw, que es aficionado a estas cosas, podría contarles otras versiones del cuento, y mucho más horribles. Una de ellas atribuye a mi desgraciado antepasado el haber cortado al español en dos pedazos, y también está conforme con el grabado. Otra pretende que mi familia poseyera una torre de serpientes, y también se confirma ahí. Según otra versión, la línea rota bajo el barco significaría una señal convencional del rayo. De manera que tenemos interpretaciones para todos los gustos, pero ésta precisamente demuestra lo erróneo que son todas las otras.

—Pero, ¿cómo lo sabe usted? —preguntó Franshaw.

—Porque resulta —contestó el huésped con frialdad— que no hubo truenos ni relámpagos en ninguno de los dos naufragios que conoció mi familia.

—¡Oh! —dijo el padre Brown, saltando de la mesa.

Siguió un silencio, sólo roto por el monótono murmullo del río. Luego Fanshaw preguntó en tono de duda y tal vez de decepción:

—Así, ¿cree usted que no hay nada de real en el cuento de la torre en llamas?

—Los cuentos corren, desde luego —dijo el *Almirante*, encogiéndose de hombros—, y algunos tienen un fondo de verdad mal aplicada a la realidad de las cosas. Alguien vería una llama por aquí, vaya usted a saber, al regresar a casa por el bosque, tal vez algún pastor, al recoger el ganado, vio una claridad por encima de la torre de Pendragon. ¡Bah! Un cenagal como éste no es el lugar más apropiado para que uno pueda pensar en fuegos.

—¿Qué es aquel fuego de allá? —preguntó el padre Brown, señalando, sin precipitarse, al bosque del otro lado del río. Todos quedaron algo desconcertados, y el mismo Fanshaw tardó en reponerse al ver una larga y delgada cinta de humo azul, que subía silenciosa en la oscuridad de la noche.

Entonces Pendragon prorrumpió en una burlesca carcajada.

—¡Son los gitanos! —dijo—. Hace una semana que están acampando por aquí. Señores, vamos a comer. —Y se volvió para entrar.

Pero el supersticioso Fanshaw aún temblaba y se volvió a preguntar:

—*Almirante,* ¿qué es ese ruido siseante que se oye tan cerca de la isla? Parece de fuego.

—Aún parece más lo que es en realidad —replicó el *Almirante,* riendo y reanudando la marcha—. No es más que una canoa que pasa.

Aún hablaba cuando el mayordomo, hombre flaco, vestido de negro, de pelo también negro y cara muy larga y amarilla, apareció anunciando que la comida estaba servida.

El comedor tenía un aire tan náutico como la cámara de un barco, pero más moderno que las del tiempo isabelino. Había una panoplia con tres machetes antiguos, sobre la chimenea, y un mapa del siglo XVI, con unos tritones y barquitos sobre un mar rizado. Pero aún llamaban más la atención algunas vitrinas con pájaros de los más sorprendentes plumajes, muy bien disecados, procedentes de la América del Sur, con fantásticas conchas del Pacífico, y varios instrumentos de tan ruda fábrica y tan raras formas, que los salvajes podían haberlos usado tanto para matar a sus enemigos como para asarlos. Pero la nota que colmaba el interés era el hecho de que, a más del mayordomo, los únicos criados del *Almirante* eran dos negros con uniforme amarillo. Este color y los cortos faldellines de aquellos bípedos sugirieron al sacerdote la idea de compararlos a los «canarios». Cuando acabaron de servir la comida no volvieron a aparecer por la sala aquellas caras negras y uniformes amarillos, y se movió únicamente, de un lado a otro, la negrura y amarillez del mayordomo.

—Siento mucho que se lo tome tan a la ligera —dijo Fanshaw al huésped—, pues la verdad es que le he traído estos amigos con la idea de que le ayudasen, pues saben mucho de estas cosas. ¿No cree usted realmente en la historia de la familia?

—Yo no creo en nada —contestó Pendragon, vivamente, sin quitar la vista de un pájaro rojo—. Soy un hombre de ciencia.

Con gran sorpresa de Flambeau, su amigo el clérigo, que parecía haberse despertado por completo, cogió esta digresión por los cabellos y se puso a hablar de historia natural con inesperada erudición, hasta que, servidos los vinos, desapareció el mayordomo. Luego dijo sin variar el tono:

—No me crea usted impertinente, almirante Pendragon. No se lo pregunto por curiosidad, sino para mi gobierno y conveniencia. ¿Me equivoco al pensar que no quiere usted que estas cosas se discutan ante su mayordomo?

El *Almirante* levantó sus despobladas cejas y exclamó:

—No sé cómo ha podido usted adivinarlo, pero lo cierto es que no puedo soportar a ese tipo, aunque no me atrevo a despedir a un criado de la familia. Fanshaw, con su afición a los cuentos de hadas, dirá que mi sangre se revuelve contra el cabello negro, que recuerda el de los españoles.

Flambeau dio un puñetazo en la mesa, exclamando:

—¡Por Júpiter! ¡También es negro el de la muchacha!

—Espero que todo acabará esta noche —prosiguió el *Almirante*— cuando vuelva mi sobrino de su barco. ¿Se sorprenden ustedes? No lo comprenderían si no les contase la historia. Verán, mi padre tuvo dos hijos. Yo permanecí soltero, pero mi hermano mayor se casó y tuvo un hijo que se hizo marino como todos nosotros y heredará la hacienda. Mi padre era un hombre raro: mezclaba la superstición de Fanshaw con una buena dosis de mi escepticismo, dos fuerzas que siempre están luchando en él, y después de mis primeros viajes, se le ocurrió una idea que quiso llevar a la práctica, seguro de que con ella se pondría en claro la verdad o la mentira de la maldición. Pensaba que, si todos los Pendragon navegábamos de un modo u otro, ofrecíamos demasiadas oportunidades para una catástrofe natural, y así nada podría probarse; pero si sólo se daba uno a la mar por turno riguroso de sucesión a la propiedad, podría descubrirse si realmente el mal hado perseguía a la familia como tal familia. Era una idea descabellada, a mi modo de ver, y se la discutí a mi padre acaloradamente, pues yo era ambicioso y, por ley de sucesión, quedaba pospuesto a mi propio sobrino.

—Y su padre y su hermano —dijo el sacerdote, afablemente— murieron en el mar, según creo.

—Sí —gruñó el *Almirante*—, por uno de esos fatales accidentes en que se basa la mitología de la Humanidad, los dos primeros en naufragio. Mi padre, al acercarse a estas costas después de un viaje por el Atlántico, se estrelló en las rocas de Cornualles. El barco de mi hermano, se hundió, nadie sabe dónde, cuando regresaba de Tasmania. No se encontró su cadáver. Ya les digo que fue por un contratiempo natural. Muchos otros hombres que no eran Pendragon se ahogaron, y los dos desastres se discutieron de una manera normal en los centros de navegación. Pero, claro, esto prendió el fuego en esta selva de supersticiosos y la gente veía la torre en llamas por todas partes. Por eso digo que todo se arreglará cuando regrese. Su novia había de venir hoy, pero temía yo tanto que cualquier tardanza la asustase, que le mandé un telegrama, diciéndole que no se moviese hasta mi nuevo aviso. Pero casi estoy seguro de que él se presentará aquí esta misma noche, a una u otra hora, y entonces todo se acabará en humo, en humo de tabaco. La leyenda quedará rota cuando rompamos el gollete de una botella de este vino.

—Riquísimo vino —dijo el padre Brown, levantando, con gravedad, la copa—; pero, como usted puede ver, soy un pésimo bebedor. Le pido con toda el alma que me perdone.

Había vertido un poco de vino en el mantel. Bebió y dejó la copa con rostro sereno, pero su mano había temblado al percatarse de unos ojos que miraban por la ventana del jardín, detrás del *Almirante.* Era una cara de mujer morena, con ojos y cabellos meridionales, pero que parecía la máscara de la tragedia.

Tras una pausa, el sacerdote volvió a decir con sus maneras suaves:

—*Almirante,* ¿quiere hacerme un favor? Permita que yo y mis amigos, si quieren, permanezcamos en esa torre esta noche. ¿No sabe que para lo que yo represento, es usted un exorcista más que otra cosa?

Pendragon se levantó de la mesa y se puso a dar zancadas por delante de la ventana, de donde, súbitamente, había desaparecido la cara, mientras gritaba, en tono violento:

—Le digo que no hay nada que temer. Yo sé lo que hay en este asunto. Puede usted llamarme ateo. Lo soy. —Y volviéndose, arrebatado, al padre Brown, añadió, con cara de espantosa concentración—: Este asunto es perfectamente natural. No hay maldición que valga.

—En tal caso —replicó el padre Brown, sonriendo—, no puede haber inconveniente en que yo duerma en su deliciosa casa de campo.

—Es una cosa ridícula —se obstinó el *Almirante*, tamborileando sobre el respaldo de la silla.

—Perdóneme usted por todo —dijo Brown—, hasta por haber derramado el vino. Pero me parece que no está usted tan tranquilo respecto a la torre en llamas, como pretende fingir.

El *Almirante* volvió a sentarse con la misma rapidez con que se había levantado, permaneció sentado en silencio y cuando habló lo hizo en voz baja:

—Lo hará usted por su cuenta y riesgo, pero, ¿no sería usted un ateo si saliese sano y salvo de tanta diablura?

Tres horas después, Fanshaw, Flambeau y el sacerdote estaban aún charlando en la oscuridad del jardín, y dos horas más tarde empezaba ya a clarear cuando el padre Brown manifestó su propósito de no irse a dormir ni a la casa ni a la torre.

—Este prado necesita que lo limpien de malas hierbas —dijo con voz de sueño—. Si tuviese un escardillo o algo, lo haría yo mismo.

Lo siguieron riendo y protestando a medias; pero él les dirigió un sermón, afirmando que siempre puede encontrarse alguna pequeña ocupación con que ser útil a nuestros semejantes. No hallaron un escardillo, pero sí una escoba de mimbre, con la que el sacerdote empezó a barrer enérgicamente la hojarasca caída sobre la hierba.

—Siempre hay que hacer alguna cosa —dijo con alegría de idiota—. Como dice George Herbert: «Quien barre el jardín de un almirante en Cornuaes, según sus leyes, no sólo hace eso, sino una buena acción.» Y ahora —añadió, tirando la escoba—, vamos a regar las plantas.

Y sintiendo una vaga emoción, vieron los otros cómo cogía y desenrollaba una manguera de jardín, mientras decía con aire de cómica reflexión:

—Los tulipanes encarnados antes que los amarillos. Parecen un poco secos, ¿no creen ustedes?

Abrió la espita y el agua salió impetuosa y dura como un chorro de acero.

—Cuidado, Sansón —gritó Flambeau—, que has descabezado un tulipán.

El padre Brown se quedó contrariado, contemplando la planta decapitada.

—Mis procedimientos hidroterápicos parece que curan o matan —comentó moviendo con tristeza la cabeza—. Es una lástima que no haya encontrado un escardillo, porque hubieran ustedes visto de lo que soy capaz, y ya que hablamos de herramientas, ¿no ha traído ese bastón que siempre lleva, Flambleau? Está bien. Sir Cecil puede coger el machete que el *Almirante* tiró por aquí no lejos de la cerca. ¡Qué gris parece todo!

—Es la niebla que sube del río —dijo Flambeau.

En aquel momento, la borrosa figura del hirsuto jardinero apareció en un balate que formaba el prado, blandiendo un rastrillo y chillando como un demonio:

—¡Deje esa manguera! Deje esa manguera y váyase a su...

—Estoy muy torpe —replicó el reverendo cachazudamente—. ¿Sabe usted? He empinado un poco el codo durante la comida.

Y diciendo esto, se ladeó, para presentar mejor sus excusas al jardinero, haciendo una grotesca reverencia, sujetando la manguera con ambas manos, y el jardinero recibió en pleno rostro el frío chorro con la fuerza de un cañonazo, perdió el equilibrio y cayó patas al aire.

—¡Pero es espantoso! —se lamentó el cura, mirando en torno con cara de pasmo—. ¡He tumbado a un hombre!

Se quedó un momento con el cuello alargado, como si estuviese mirando o escuchando algo, y luego, arrastrando la manguera, se dirigió a toda prisa hacia la torre. Estaba ésta muy cerca, pero su silueta se escondía en una oscuridad extraña.

—La niebla de ese río —le dijo a Flambeau— tiene un especial olor.

—¡Vive Dios que sí! —exclamó Flambeau—. Pero no querrá usted decir...

—Quiero decir que una de las predicciones científicas del *Almirante* se cumplirá esta noche. Esta historia va a terminar en humo.

Aún hablaba cuando una hermosa luz encarnada pareció florecer repentinamente como una rosa gigantesca, entre crepitaciones y ruidos estridentes, como carcajadas de demonios.

—¡Dios mío! ¿Qué es eso? —exclamó Sir Cecil Fanshaw.

—La señal de la torre en llamas —dijo el padre Brown, dirigiendo el chorro de agua al centro mismo del moco encarnado.

—¡Suerte que no nos hayamos ido a dormir! —gritó Fanshaw—. Supongo que el fuego no se extenderá hasta la casa.

—Recuerde usted —contestó el sacerdote, con voz inalterable— que la cerca que podría haberlo propagado ha sido previamente cortada.

Flambeau volvió los ojos a su amigo, como a efectos de una sacudida eléctrica, pero sólo Fanshaw dijo, como distraído:

—Menos mal que no peligra nadie.

—Es una torre muy curiosa —observó el padre Brown—. Cuando habría de matar a alguien, mata o los que se hallan en otra parte.

Al mismo tiempo, la monstruosa figura del jardinero, con su barba torrencial se destacó en el balate contra el cielo; pero no empuñaba un rastrillo, sino un machete. Detrás de él se mostraron los dos negros, armados también con los viejos machetes de la panoplia, pero a la luz roja y vestidos de amarillo, parecían diablos con instrumentos de tortura. En el fondo del jardín, recogido en la sombra, retumbó una voz imperiosa dando instrucciones. Al oír esta voz, el semblante del sacerdote experimentó un cambio terrible.

Pero permaneció en su puesto, sin apartar la vista del foco de llamas que había tomado cierto incremento, pero que cedió luego siseante bajo la presión de la poderosa vara de agua. Mantenía el dedo en la boca del caño para mejor asegurar la puntería sin atender a otra cosa, enteramente sordo por el ruido y observando por el rabillo del ojo los excitantes incidentes que se desarrollaban en el jardín aislado. No dio más que dos instrucciones lacónicas a sus amigos.

—Derribad a esos hombres como podáis y atadlos con las cuerdas de estos haces. Quieren quitarme la manguera. —Y la otra—: En cuanto podáis hacerlo, llamad a esa muchacha de la canoa, que está en la orilla del río con los gitanos. Preguntadle si puede cruzarlo con algunos cubos y acarrear agua del río.

Luego, cerró la boca y continuó regando la rosa de fuego con la misma rudeza con que regó antes el rojo tulipán. Ni siquiera se volvió a mirar la extraña lucha que se entabló entre los enemigos y los amigos del misterioso fuego. Casi oyó temblar la isla cuando Flambeau entró en combate con el feo jardinero, y se lo imaginaba dando vueltas en torno a ellos mientras movían los puños. Percibió el choque de la caída y oyó el rugido de triunfo de su amigo al tumbar al primer negro, y los gritos de los dos cuando Flambeau y Fanshaw los ataron. La prodigiosa fuerza de Flambeau contrarrestaba la desigualdad de la lucha, especialmente porque el cuarto hombre aún permanecía junto a la casa, ocultándose en la sombra y gritando. También le llegó el ruido del agua golpeada por los remos de la muchacha, la voz de ésta dando órdenes, la de los gitanos contestando y acercándose por momentos, el ruido de cubos llenándose y vaciándose en un río de agua, y, por fin, el de muchos pasos alrededor del fuego; pero nada tenía para él tanta importancia como el hecho de que la roja grieta que antes había tomado incremento, disminuía otra vez poco a poco.

Entonces llegó a él un grito que casi le hizo volver la cabeza. Flambeau y Fanshaw, con el refuerzo de algunos gitanos, se lanzaron a la persecución del hombre misterioso que hasta entonces había permanecido junto a la casa, y desde el otro extremo del jardín le llegó el grito de horror y de sorpresa que lanzaba el francés, seguido de un aullido que nada tenía de humano, al desasirse de su puño el perseguido para emprender la huida por el prado. Tres vueltas dieron a toda la isla en una carrera espantosa porque parecía la persecución de un loco, tanto por los gritos que lanzaba el fugitivo como por las cuerdas que llevaban, para atarlo, sus perseguidores; pero aún era más terrible porque, en cierta manera, daba la impresión de unos niños que jugaban a cazar en el jardín. Por fin, viéndose acorralado, el fugitivo dio un brinco sobre el precipicio más elevado, se arrojó al río, y se hundió con un chasquido seco en la impetuosa corriente.

—Ya no pueden hacer ustedes más —dijo el padre Brown, en tono helado de pena—. Ya la corriente lo habrá arrastrado hacia las rocas, adonde había él mandado a tantos otros. Sabía utilizar la leyenda de la familia.

—No me hable usted en parábolas —gritó Flambeau, impaciente—. ¿No puede decir las cosas con palabras sencillas?

—Sí —contestó Brown, con la vista en la manguera—. «Dos ojos abiertos marchan bien; un ojo cerrado se hunde.»

El fuego siseaba y chillaba cada vez más, como una fiera estrangulada, perdiendo fuerza y reduciéndose bajo el caudal de la manguera y de los cubos; pero el padre Brown aún no apartaba de allí la vista, mientras seguía hablando.

—Si se viera bastante, rogaría a esa muchacha que mirase con el telescopio la desembocadura del río y la costa. Podría descubrir algo que tiene interés para ella: el barco, o a Mr. Pendragon, que viene a casa y quién sabe si descubriría la mitad del hombre, pues aunque seguramente el joven está ya fuera de peligro, no sería de admirar que estuviese ganando la orilla a nado. Ha estado en inminente peligro de naufragio, y no se hubiera salvado si ella no hubiese tenido el buen sentido de sospechar del telegrama del *Almirante* y venir a visitarlo. No hablemos de nada. Baste decir que siempre que esta torre se incendia de veras, con sus maderos secos y sus vigas alquitranadas, produce en el horizonte la impresión de una luz de aurora a los que se hallan en la costa.

—Y así —dijo Flambeau— es como murieron el padre y el hermano. El malvado tío ha estado a punto de apoderarse de la hacienda, después de todo.

El padre Brown no contestó. En realidad, ya no volvió a hablar más que por cortesía, hasta que se hallaron los tres reunidos en la cámara del yate, en torno a una caja de cigarros. Vio que el incendio estaba extinguido y no quiso demorarse, aunque ya se oía al joven Pendragon, acompañado por un grupo de entusiastas, subiendo por la ribera, y si se hubiera dejado llevar de romántica curiosidad, hubiera podido recibir las gracias combinadas del novio desde el barco, y de la novia desde la lancha. Pero había vuelto a apoderarse de él la fatiga, y sólo se reanimó cuando Flambeau le dijo de súbito que había dejado caer ceniza del cigarro en sus pantalones.

—No es ceniza del cigarro —dijo cansadamente—; es del fuego; pero ustedes no lo creen así porque siempre están fumando. Así es como empecé a concebir las primeras sospechas sobre aquel mapa.

—¿Quiere decir que el mapa de Pendragon no es la carta de las islas del Pacífico? —preguntó Fanshaw.

—¡Créaselo usted! —contestó Brown—. Ponga una pluma con un fósil y un trozo de coral, y todos pensarán que es una muestra. Ponga la misma pluma con una cinta y una flor artificial, y todos pensarán que es para el sombrero de una señora. Ponga la misma pluma con un tintero, un libro y unas cuartillas, y muchos estarán dispuestos a jurar que la pluma es para escribir. Así vio usted ese mapa entre pájaros del trópico y conchas, y pensó que era el mapa del Pacífico. Era el mapa de este río.

—Pero, ¿cómo lo sabe? —preguntó Fanshaw.

—Vi la roca que, según usted, se parecía a un dragón y la que se parecía a Merlín, y...

—Por lo visto, se fijó usted en muchas cosas cuando entramos en el río —gritó Fanshaw—. Pensábamos que estaba distraído.

—Sufría las molestias del mar —dijo simplemente el padre Brown—. Me sentía mal. Pero el sentirme mal nada tiene que ver con no ver las cosas.

—¿Cree usted que muchos hombres lo hubieran visto? —preguntó Flambeau.

No recibió respuesta. El padre Brown dormía.

## IX

## EL DIOS DE LOS GONGOS

Era una de esas tardes desiertas y heladas de invierno en que la luz del día más parecía de plata que de oro y más de plomo que de plata. Si eran tristes los interiores de los pisos y de las oficinas, aún parecía más triste y desolada la ancha playa de Essex, cuya monotonía resultaba más despiadada porque se rompía a largos trechos por faroles más rústicos que los árboles y por árboles más feos que los faroles. Una ligera nevada, fundida en algunos puntos, había adquirido al helarse la dureza de la plata y se extendía en una franja a lo largo de la costa, en línea paralela a la franja pálida de la espuma del mar. La misma superficie del mar, con su color lívido, parecía helada como el rostro de un hombre aterido. Ni por tierra ni por mar, en varias millas a la redonda, se veía más alma viviente que dos caminantes que andaban a paso ligero, aunque muy desigual, ya que el uno tenía las piernas largas y el otro había de mover más las suyas para seguirlo.

No parecía aquel un lugar muy apropiado para pasar un día de asueto, pero el padre Brown hacía muy pocas fiestas y aprovechaba las que podía, prefiriendo siempre, a serle posible, pasarlas en compañía de su viejo amigo Flambeau, ex presidiario y ex detective. El sacerdote tenía deseos de visitar su antigua parroquia de Cobhole, y se dirigía hacia el Norte por la costa.

Después de caminar cosa de dos millas, vieron que la playa empezaba a estar obstruida seriamente por lo que parecía un paseo público. Los faroles, aunque tan feos como los otros, eran más abundantes y ornamentales. Media milla más allá, el padre Brown quedó sorprendido por un laberinto de flores sin flores, cubiertos de plantas descoloridas y aplastadas, que más daban en conjunto la impresión de un pavimento de taracea que la de un jardín, entre los senderos tortuosos tachonados de bancos de respaldos corvos. Vagamente husmeaba el aire de una población marítima que para nada le interesaba, y mirando a lo largo del paseo vio algo que le sacó de pronto de dudas. En la distancia gris se levantaba el quiosco de la música de un balneario como un hongo gigante de seis pies.

—Supongo —dijo el padre Brown subiéndose el cuello del abrigo y tapándose mejor con la bufanda— que nos acercamos a un centro de recreo.

—Temo —contestó Flambeau— que serán bien pocos los que acudan a ese centro para recrearse. Tratan de dar vida a estos lugares en invierno, pero no lo consiguen sino los privilegiados y los antiguos. Debe de ser una tentativa de lord Pockey, que tiene anunciados para Navidad los cantores sicilianos, y se habla mucho del «match» que se anuncia para hoy. Pero debían arrojar al mar estas barracas, que son más feas que un vagón destrozado.

Llegaron a la enorme plataforma de la banda y el sacerdote la estuvo mirando con extraordinaria curiosidad. Era una construcción extraña, pero apropiada para sus fines, erigida sobre un terraplén en una plataforma de madera de unos cinco pies de altura, que parecía un gigantesco tambor. Pero le daba un aire especial la nieve combinada con el oro de las molduras, un aire que también tuvo intrigado a Flambeau por recordarle algo que no llegaba a concretarse en su memoria, pero que le evocaba una clase de arquitectura artística y extranjera.

—¡Ya sé! —dijo, por fin—. Esto es japonés. Recuerdo esas estampas japonesas de montañas con nieve que parece azúcar, y de pagodas doradas como el pan de jengibre. Es verdaderamente delicioso, parece un templo pagano.

—Sí —asintió el padre Brown—. Vamos a ver el dios.

Y con una agilidad que no se hubiera esperado de él, se encaramó en la elevada plataforma.

—¡Ah, muy bien! —exclamó Flambeau riendo, y un momento después su gigantesca figura se destacaba en aquel extraño pedestal.

Aunque aquella altura era relativamente poca, en la desierta soledad que la envolvía daba la impresión de diversas extensiones remotísimas de mar y tierra. Los bosquecillos que se dominaban parecían matorrales, y más allá había algunas granjas aisladas con aplastados pajares. En el mar no se veía una vela ni más ser viviente que unas cuantas gaviotas, que más parecían copos de nieves y más flotantes que volantes.

Flambeau se volvió al oír a su espalda una exclamación, proferida a un nivel más bajo de lo que hubiera podido esperarse, como si hubieran gritado más a sus tacones que a sus oídos. Alargó al instante la mano, pero apenas pudo contener la risa ante la que vio. Sin saber cómo, la plataforma se había hundido bajo los pies del padre Brown, y el desgraciado había caído al nivel del terraplén. Y era lo bastante alto o lo bastante bajo para que la cabeza le asomara al nivel del tablado como la de san Juan Bautista en una gran bandeja. Y la cabeza tenía una expresión tan desconcertante tal vez como la del Bautista.

Flambeau rió ligeramente, diciendo:

—Esta madera debe de estar podrida, aunque es raro que me sostenga a mí. Es que debe de haber pisado usted la parte más blanda. Venga que le ayude.

Pero el sacerdote estaba examinando los bordes de la madera que se suponía podrida, y en su frente se dibujaba una honda perplejidad.

—¡Vamos! —exclamó Flambeau impaciente, con su manaza morena extendida—. ¿No quiere salir de ahí?

El cura sostenía una astilla entre sus dedos y no replicó inmediatamente. Por fin dijo, con tono pensativo:

—¿Si quiero salir? No. Lo que me parece es que quiero entrar —y desapareció bajo la superficie de la madera, después de dejar en el borde del agujero el sombrero clerical.

Flambeau volvió a mirar en torno suyo y no vio más que un mar tan frío como la nieve y nieve tan lisa como el mar.

Oyó un ruido interior tras él, y el rechoncho cura salió del agujero más de prisa de lo que había entrado.

—¿Qué? —preguntó a su amigo—. ¿Ha encontrado ya al dios del templo?

—No —contestó el padre Brown—. He hallado lo que en su día fue mucho más importante. El sacrificio.

—¿Qué diablos quiere decir? —preguntó Flambeau alarmado.

El padre Brown no contestó. Con un chichón en la frente, contemplaba el paisaje. Y de pronto señaló a un punto y preguntó:

—¿Qué edificio es aquél de allá?

Siguiendo la dirección de su dedo, Flambeau vio, por vez primera, el ángulo de un edificio más cercano que la primera granja casi por completo escondido tras los árboles. No era un edificio muy grande, y estaba algo apartado de la costa; pero la ornamentación que llegaba a verse indicaba que formaba parte del balneario a que pertenecía el pabellón de la banda y los jardines de su alrededor.

El padre Brown saltó de la plataforma, seguido de su amigo, y a medida que se acercaban, los árboles iban dejando de manifiesto el edificio achatado, como la mayoría de los establecimientos de baño. Casi toda la fachada era de yeso dorado y de cristal floreado, que ante la superficie del mar gris y entre los árboles que parecían seres encantados, daba una impresión de melancolía espectral. Los dos amigos tenían el presentimiento de que la única comida y la única bebida que podrían ofrecerles en aquel hotel serían el jamón de cartón y el cubilete vacío de las pantomimas.

Pero no estaban del todo en lo cierto. Al acercarse más vieron delante del *buffet*, que aparentemente estaba cerrado, uno de los bancos de respaldo corvo que adornaban el jardín, pero más grande, pues casi ocupaba todo lo ancho del edificio. Parecía puesto para que los parroquianos pudieran sentarse a mirar el mar, pero en aquel tiempo apenas podía imaginarse que alguien lo hiciese.

Y, sin embargo, ante el extremo del banco había una mesita redonda de restaurante, con una botella de vino y un plato de almendras y de pasas. Y allí se sentaba un joven moreno, sin nada a la cabeza, y que miraba al mar en un estado de inmovilidad atónita.

Y aunque a cualquiera le hubiera podido parecer un maniquí, cuando los dos amigos estuvieron a pocos pasos se levantó como un muñeco de resorte y preguntó, no sin una extremada cortesía:

—¿Quieren ustedes pasar, caballeros? No dispongo actualmente de empleados, pero puedo servirles yo mismo lo que deseen.

—Muchas gracias —contestó Flambeau—. ¿Es usted el dueño?

—Sí —dijo el joven moreno, volviendo a su estado de inmovilidad—. Mis mozos son todos italianos, ¿sabe usted?, y no he podido negarles el placer de ir a ver cómo su paisano derrota al negro, si es que realmente lo consigue. Ya sabrán ustedes que el combate entre Malvoli y Negro Ned se celebra, después de todo.

—No creo que abusemos mucho de su hospitalidad —dijo el padre Brown—, pero estoy seguro de que a mi amigo le gustaría tomar una copita de jerez, tanto para quitarse el frío como para brindar por el triunfo del campeón blanco.

Flambeau no bebía nunca jerez, pero tampoco puso la menor objeción, y se limitó a decir:

—¡Oh! Muchas gracias.

—Jerez, señor; está bien —dijo el huésped regresando al establecimiento—. Perdonen si les hago esperar un momento. Como les he dicho, no tengo quien sirva...

Y se llegó a la cerrada puerta del hotel, que estaba también a oscuras.

—¡Oh! No se moleste usted —empezó a excusarse Flambeau, pero el otro se volvió a tranquilizarlo.

—Tengo las llaves y no me hace falta luz para andar por dentro.

—Yo no quería... —murmuró el padre Brown.

Le interrumpió una voz rugiente salida del interior del hotel, llamando a voz en cuello a alguien cuyo nombre no se entendió, y el dueño del establecimiento acudió con más diligencia a la llamada que a servir el jerez a Flambeau. Aquello era una prueba de que el dueño no les había dicho más que la verdad; pero tanto Flambeau como el padre Brown confesaron luego con frecuencia que, en sus muchas y peliagudas aventuras, nada les había helado la sangre en las venas como la voz de aquel ogro, salida tan inesperadamente de una fonda tan silenciosa y desierta como aquélla.

—¡Mi cocinero! —gritó el dueño, sobresaltado—. He olvidado a mi cocinero. Ahora se marchará, ¿Jerez, señor?

Y, en efecto, apareció en el umbral un tipo con gorro y delantal blancos, propios de un cocinero, mas de cara negra y aire enfático, muy poco apropiado. Flambeau sabía que de un negro puede sacarse un buen cocinero. No obstante, por razones de casta y de color, le sorprendió en gran manera que el dueño obedeciese la voz del cocinero en vez de atender éste la voz del dueño. Pero recordó que los jefes de cocina suelen ser arrogantes por antonomasia, y además, el hotelero había vuelto con el Jerez que era lo que importaba.

—Me sorprende —dijo el padre Brown— que se vea tan poca gente por la costa, si después de todo va a celebrarse ese combate. No hemos encontrado más que a un hombre en varias millas.

El hotelero se encogió de hombros.

—Es que vienen del interior, por la estación, que está a tres millas de aquí. No les interesa más que el combate, y sólo se detendrán en los hoteles esta noche. Después de todo, hace demasiado frío para venir a entregarse a los deportes de playa.

—O sentarse en el banco —dijo Flambeau, indicando la mesita.

—He de vigilar un rato —dijo el joven del rostro inmutable.

Era de un porte modesto, de facciones regulares y algo flaco. Su traje negro no ofrecía nada de particular, y lo único que llamaba la atención era la corbata negra, que llevaba muy subida y tiesa, sujeta con una aguja de oro de cabeza un poco grotesca. Su rostro no delataba nada de particular, como no fuese un ligero rictus nervioso y el vicio de abrir un ojo más que otro, produciendo la impresión de que tenía uno más grande que el otro, o que uno de ellos era artificial.

Él fue el que rompió el silencio y siguió preguntando:

—¿Dónde encontraron a ese hombre en su camino?

—Es muy curioso —contestó el sacerdote—; no lejos de aquí, junto al quiosco de la banda.

Flambeau, que se había sentado en el banco a beber su jerez, vació la copa y se levantó, quedándose mirando a su amigo con aire de sorpresa. Abrió la boca para hablar, pero al momento la volvió a cerrar.

—Sí que es curioso —dijo el joven moreno, pensativamente—. ¿Cómo era?

—Casi puede decirse que lo vi en la oscuridad —dijo el padre Brown—, pero era...

Como se ha observado ya, podía probarse que el hotelero había dicho la pura verdad. Se cumplió al pie de la letra su anuncio de que el cocinero se marchaba al momento, pues éste apareció poniéndose los guantes mientras aún hablaban.

Pero estaba completamente transformado. Se presentaba muy abrochado y con extremada elegancia. Una chistera reluciente de tan negra se ladeaba en su cabeza. El hombre era como la chistera, negro y reluciente. Huelga decir que llevaba polainas blancas y una tira blanca bajo el chaleco. En el ojal de la solapa resaltaba una flor roja agresivamente, como si hubiera crecido allí. Y en la manera de llevar el bastón en una mano y el cigarro en la otra había una actitud peculiar, esa actitud a que hemos de aludir siempre que hablamos de los prejuicios de raza: algo tan inocente como insolente, el *cake-walk*.

—A veces —dijo Flambeau mirándolo—, no me sorprende que los linchen.

—Nunca me sorprende —dijo el padre Brown— ninguna obra del infierno. Pero como estaba diciendo —prosiguió, mientras el negro, estirando todavía ostentosamente sus guantes amarillos se alejaba a buen paso como una figura cómica de café-concierto, en un escenario verde y helado—, como estaba diciendo, no podría describir a aquel hombre minuciosamente, pero llevaba unas patillas y unos bigotes que recordaban las estampas de los grandes comerciantes extranjeros. Cubría su cuello con una larga chalina encarnada, que flotaba al viento cuando andaba y que se sujetaba a la garganta mediante una aguja, como las mamás sujetan los tapabocas de los niños con un imperdible. Pero —añadió el sacerdote, mirando plácidamente al mar— aquella aguja no era imperdible.

El «dueño del hotel» estaba mirando también el mar de una manera apacible, y en aquel momento Flambeau adquirió la certeza de que uno de sus ojos era más grande que el otro. Los mantenía abiertos los dos y el izquierdo producía el efecto de irse agrandando mientras miraba.

—Era una aguja de oro muy larga, y la cabeza representaba la figura de un mono o algo semejante —continuó el clérigo—, y estaba prendida de una manera muy rara.

El hombre inmóvil continuaba mirando el mar con ojos que podían haber pertenecido a dos hombres diferentes. De pronto, hizo un rápido movimiento.

El padre Brown estaba de espaldas a él y podía haber caído fulminado a sus pies. Flambeau no llevaba armas, pero descansaban sus manos en un extremo del banco de hierro. Sus hombros cambiaron de forma, y en un instante levantó el banco sobre su cabeza, blandiéndolo como un leñador el hacha. La longitud del banco le daba la semejanza de una escalera por la que aquel invitase a los hombres a trepar hasta los astros; pero la sombra que proyectaban él y el arma improvisada se extendía a la luz de la tarde como la de un gigante blandiendo la Torre Eiffel. Al ver la sombra que se le venía encima, el desconocido evitó de un salto el golpe y se refugió en el interior de la fonda antes de que se oyese el estruendoso chasquido de los hierros, abandonando el afilado y reluciente puñal que se le había caído de las manos.

—Hemos de marcharnos de aquí al momento —gritó Flambeau, lanzando a la playa con furiosa indiferencia el pesado banco. Y cogiendo al sacerdote del brazo se lo llevó corriendo entre los árboles por una senda que conducía a la puerta de la verja del jardín. Se acercó a ella con violento silencio y luego profirió: «¡Está cerrada!»

Aún hablaba cuando una hoja de abeto pasó rozándole el ala del sombrero, lo que le impacientó más que el tiro que poco antes había oído. Luego se oyó otra detonación, y la puerta que trataba de abrir produjo un chasquido al incrustarse en ella la bala. De nuevo cambiaron de forma las espaldas de Flambeau. Tres goznes y una cerradura quedaron arrancados de cuajo al mismo tiempo, y el hombre avanzó unos pasos, llevándose la puerta del jardín, como Sansón se llevó las de Gaza.

La dejó arrimada contra la tapia en el momento en que otra bala levantaba un puñado de nieve y de tierra junto a sus pies. Sin cumplidos ni consideraciones, cogió al menudo sacerdote, se lo cargó al hombro y emprendió la marcha hacia Seawood con la ligereza que le permitían las piernas, y sólo cuando llevaba caminando así cerca de dos millas dejó a su compañero en tierra. No había sido una huida muy digna, que digamos, a pesar de tener un modelo en el Anquises de los clásicos, pero el padre Brown se lo agradeció con una ancha sonrisa.

—Bien —dijo Flambeau después de un impaciente silencio cuando llegaron a las primeras calles de la ciudad—, no entiendo lo que esto significa, pero me dejaría arrancar la lengua si ha encontrado usted al hombre que tan puntualmente nos ha descrito.

—En cierto sentido, me lo encontré —dijo el padre Brown mordiéndose nerviosamente el dedo—, me lo encontré realmente. Pero estaba aquello demasiado oscuro para verlo bien, porque fue bajo la plataforma de la banda. De lo que no estoy seguro es de haberlo descritó honradamente, porque la larga aguja de oro no le sujetaba la chalina roja, sino que se le clavaba en el corazón.

—Y supongo que ese pistolero de ojo de vidrio —observó, vivaz, Flambeau— tenía algo que ver en el asunto.

—No creo que desempeñe un papel muy importante —contestó Brown con voz algo alterada—, y acaso haya hecho yo mal. Obré por impulso. Pero creo que este asunto tiene hondas raíces y se presenta muy oscuro.

Caminaron en silencio por algunas calles cuyas luces eléctricas empezaban a alumbrar en la oscuridad del crepúsculo, y cada vez se acercaban más a los barrios populosos. Enormes cartelones de colores, pegados a las esquinas, anunciaban el encuentro entre el Negro Ned y Malvoli.

—Bien —dijo Flambeau—; jamás he matado a

nadie en mis malos tiempos, pero casi perdonaría al que tuviese la ocurrencia de elegir un ambiente tan fúnebre para hacerlo. No creo que pueda presentarse una escena del crimen más horrorosa que una plataforma destinada a la alegría. Me imagino a un criminal de fantasía enfermiza que elige un lugar tan solitario y paradójico para dar muerte a sus víctimas. Recuerdo que en cierta ocasión, pasando por las alegres colinas de Surrey, sin pensar más que en las aulagas y en las alondras, me encontré inesperadamente ante una configuración circular del terreno, con gradas y más gradas, como un anfiteatro romano. Por encima pasó un ave, que aún me avivó la impresión de soledad que dejaba aquello. Era el gran estadio de Epson. Y pensé que ya nadie podría sentirse allí dichoso.

—¡Qué raro que haya mencionado usted Epson! —dijo el sacerdote—. ¿Recuerda el caso llamado Misterio de Sutton, porque dos hombres de color amarillo que se hicieron sospechosos vivían en Sutton? Se les dejó en libertad provisional. Se encontró a un hombre estrangulado por aquellos parajes. Yo supe por un policía, amigo mío, que se lo encontró en el mismo estadio, escondido sencillamente bajo una puerta que se cerró tras él.

—Es raro —asintió Flambeau—. Pero esto confirma mi opinión de que esos centros de reunión aparecen horriblemente solitarios fuera de la temporada.

—No estoy tan seguro... —empezó diciendo Brown, y se calló.

—¿No está seguro de que lo asesinaron? —preguntó su compañero.

—De que lo asesinaron fuera de temporada —contestó sencillamente el sacerdote—. ¿No ha pensado usted que hay algo de tramposo en esa soledad, Flambeau? ¿Cree que un asesino inteligente ha de buscar un paraje solitario? Es muy difícil que un hombre esté completamente solo, y para ciertas cosas, cuanto más solo está uno, más seguro está de que lo vean. No, yo no soy de su opinión... Pero ya hemos llegado al pabellón, o palacio, o como lo llamen.

Acababan de desembocar en una plaza profusamente alumbrada, cuyo principal edificio ofrecía un alegre aspecto de molduras doradas y estaba flanqueado por sendos y gigantescos retratos de Malvoli y Negro Ned.

—¡Hola! —exclamó Flambeau, gratamente sorprendido, dirigiéndose con decisión a la ancha escalinata—. No sabía que el boxeo se contase entre sus últimas aficiones. ¿Ha venido a ver la lucha?

—No creo que haya ninguna lucha —replicó el padre Brown.

Pasaron apresuradamente por el vestíbulo, por la sala de espectáculos, llena de hileras de sillas, que el sacerdote no se detuvo a mirar, hasta que por fin tropezó con un empleado sentado a una mesa ante una puerta en la que se leía: «Dirección». Entonces se detuvo a preguntar por lord Pooly.

El empleado contestó que el lord estaba muy ocupado, pero el sacerdote insistió con una cachaza a la que el empleado no estaba acostumbrado, y al poco rato Flambeau se halló ante un caballero que daba instrucciones en voz alta a otro empleado que salía del despacho:

—Cuidado con las cuerdas después del cuarto... Bueno, ¿qué desean ustedes?

Lord Pooly era todo un caballero, y, como muchos de los pocos que quedan, estaba preocupado especialmente por cuestiones de dinero. Era entre rubio y cano, tenía unos ojos de fiebre y una nariz gibosa y entumecida.

—Sólo una palabra —dijo el padre Brown—.

He venido para impedir que se mate a un hombre.

Lord Pooly se recostó en el respaldo de la silla, como si le hubieran empujado.

Luego exclamó:

—No tengo tiempo que perder. Ya estoy harto de ustedes, de sus comisiones y de sus instancias. ¿Creen señores míos, que ésta es una de aquellas antiguas luchas en que la gente se aporreaba sin guantes? Ahora se lucha con guantes de reglamento, y no existe la menor posibilidad de que un hombre mate a otro.

—No me refiero a ninguno de los boxeadores —dijo el sacerdote.

—¡Bien, bien, bien! Pues ¿a quién quiere que maten? ¿Al árbitro?

—No sé a quién van a matar —replicó el padre Brown con mirada reflexiva—. Si lo supiera, no vendría a aguarle la fiesta. Nunca he visto nada malo en la lucha con guantes. No obstante le ruego que anuncie que el combate queda suspendido, por ahora.

—¿Y qué más? —preguntó burlonamente el caballero, con ojos encendidos—. ¿Y qué les dice usted a los dos mil espectadores que han venido a verlo?

—Les diré que sólo quedarán mil novecientos noventa y nueve de ellos cuando lo hayan visto —dijo el padre Brown.

Lord Pooly miró a Flambeau y le preguntó:

—¿Está loco su amigo?

—No encontrará hombre más cuerdo —contestó Flambeau.

—Y mire usted —volvió a decir Pooly—: aún hay algo peor. Ha venido, no sé de dónde, un sinnúmero de italianos dispuestos a guardar la espalda a Malvoli. Ya sabe usted cómo las gastan los de esa casta mediterránea. Si anuncio que se suspende el acto, entrará aquí Malvoli armando un escándalo, acompañado de una banda de amigos corsos.

—Señor mío, es un asunto de vida o muerte —dijo el sacerdote—. Llame usted. Dé el encargo. Y veremos si es Malvoli quien protesta.

El aristócrata tocó una campanilla golpeando la mesa con aire de extraña curiosidad, y dijo al empleado que asomó al instante la cabeza:

—Tengo que anunciar algo muy grave al público dentro de poco. Entretanto, ¿tiene usted la bondad de decir a los dos campeones que la lucha tendrá que aplazarse?

El empleado se quedó mirando un momento como si viera al diablo, y desapareció.

—¿En qué se funda usted para decir eso? —preguntó de súbito lord Pooly—. ¿A quién ha consultado usted?

—He consultado una plataforma de música —contestó el padre Brown rascándose el chichón de la frente—; pero no, ¡digo mal! He consultado también un libro. Lo compré en un puesto de libros viejos en Londres, muy barato.

Se sacó del bolsillo un librito de cubiertas de piel y letra apretada, y Flambeau, mirando por la espalda al sacerdote, pudo ver que se trataba de un libro de viajes y que tenía una hoja doblada como señal.

—«La única forma en que el vudú...» —empezó a leer el padre Brown en voz alta.

—¿En qué? —preguntó el aristócrata.

—«En que el vudú se ha podido organizar y difundir fuera de Jamaica es con el nombre del mono o el dios de los gongos, que se ha hecho poderoso en los dos continentes americanos, especialmente entre los mulatos, muchos de los cuales en nada se diferencian de los hombres blancos. Esta forma de culto difiere mucho de otras formas del culto diabólico y del sacrificio humano en el hecho de que la sangre no se vierte en el altar, sino por el asesinato entre la multitud. Los gongos baten con ruido ensordecedor cuando la puerta de la urna se abre y el dios mono se manifiesta; todos los reunidos fijan sus ojos extáticos en él. Pero luego...»

Se abrió la puerta del despacho, y el negro vestido a la moda apareció, girando los ojos y con la chistera de seda todavía ladeada sobre la cabeza.

—¡Ju! —gritó, enseñando sus dientes de buey—. ¿Es cierto? ¡Ju, Ju! Le roba usted a un caballero de color su presa... Usted quiere salvar al italiano de...

—El acto queda aplazado —dijo el aristócrata con calma—. Luego nos veremos y se lo explicaré todo.

—¿Quién es usted para...? —gritó Negro Ned, empezando a bramar.

—Soy Pooly —replicó el otro con serenidad—. Soy el organizador, y le aconsejo que salga de mi despacho.

—¿Quién es este hombre? —preguntó el campeón negro, indicando al clérigo con desdén.

—Me llamo Brown —replicó éste—, y le aconsejo que salga del país.

El negro se quedó mirando un momento con ojos de fuego, y luego, con gran sorpresa de Flambeau y de otros, salió cerrando la puerta de un golpe.

—Bueno —dijo el padre Brown, mientras se tiraba hacia atrás las greñas—, ¿qué piensa usted de Leonardo da Vinci? Una hermosa cabeza italiana.

—Mire —dijo lord Pooly—, he contraído una grave responsabilidad, fiado sólo en su palabra. Creo que tendría que decirme algo sobre el particular.

—Tiene usted razón —contestó el padre Brown—, y no le entretendré mucho. —Se guardó el libro en el bolsillo—. Creo que sabemos todo cuanto esto puede decirnos; pero usted puede comprobar si tengo razón. Este hombre que acaba de salir es uno de los hombres más peligrosos de la tierra, porque une al cerebro de un europeo los instintos de un caníbal. Ha convertido lo que entre sus compañeros de barbarie era una sencilla carnicería, en una moderna y científica sociedad secreta de asesinos. Él no debe saber que yo lo sé, ni por lo que se refiere a este caso particular, que yo no puedo probarlo.

Tras un breve silencio, el hombrecillo prosiguió:

—Pero si yo deseo asesinar a alguien, ¿será la mejor de las precauciones el asegurarme de que estoy a solas con él?

Lord Pooly miró al clérigo con ojos de perplejidad y, por fin, se aventuró a decir:

—Si quiere usted matar a alguien, le aconsejaría eso.

El padre Brown movió la cabeza negando como un asesino muy experimentado.

—Es lo que dice Flambeau —replicó, lanzando un suspiro—. Pero, fíjense: Cuando más solo se siente un hombre, menos puede asegurar que se halla solo. Quiero decir que cuanto más solo está en un paraje desierto, más se destaca su presencia. ¿No han visto ustedes un labrador o un pastor desde la altura de un valle? ¿No han visto ustedes desde un risco a un hombre que anda por la playa? ¿Y no lo verían ustedes matando un cangrejo? ¡No, no! Para asesinos tan inteligentes como pudiéramos ser nosotros, es una precaución inútil como seguridad de que nadie nos ha de ver.

—Pero, ¿qué otra precaución hay?

—Sólo una —dijo el sacerdote—. Estar seguros de que todos miran a cualquier otra parte. Un hombre fue estrangulado en el estadio de Epson. Si el estadio hubiese estado vacío, cualquiera hubiera podido verle, cualquier vagabundo, desde los matorrales, o cualquier motorista desde las colinas. Pero nadie pudo verlo mientras el estadio estaba lleno y el público bramando de entusiasmo cuando su ídolo pegaba de firme. Un golpe de porra, una puerta que se abre y se cierra en un momento y se acabó. Lo mismo le pasaría al desgraciado que cayó bajo la plataforma —continuó, volviéndose a mirar a Flambeau—. Cayó por el agujero en el momento dramático del concierto, cuando el arco de algún gran violinista o la voz de un gran cantante tenía arrebatada la atención del público. Y en este caso, desde luego, al llegar al *knout-out*... que no sería el único. Tal es el truco que Negro Ned ha adoptado de su viejo dios de los gongos.

—Y a propósito, Malvoli... —insistió Pooly.

—Malvoli —dijo el sacerdote —nada tiene que ver en esto. No diré que no se rodee de algunos italianos, pero nuestros pájaros no son italianos. Son mulatos y africanos de varios matices, pero a los ingleses nos ha dado por pensar que todos los extranjeros son los mismos mientras aparezcan más o menos morenos o sucios. También temo —añadió sonriendo— que el inglés se resiste a hacer una definida distinción entre el carácter moral producido por mi religión y el que se origina del vudú.

Se había encendido en Seawiid la llama de la primavera, llenando sus playas de familias y de patinetes, de oradores de paso y de cantores negros, antes de que nuestros dos amigos volvieran por allí y mucho antes de que se hubiera calmado la tempestad que se desencadenó contra la extraña sociedad secreta. Casi en cada caso moría con ellos el secreto de sus designios. El «dueño» del hotel fue hallado muerto en la playa, a la que le arrastró la corriente como un fardo de algas; su ojo derecho estaba cerrado, en paz, pero el izquierdo se abría y resplandecía como el vidrio a la luz de la luna. Negro Ned fue detenido a una milla o dos de distancia y mató a tres policías con su puño izquierdo. El que sobrevivió quedó tan sorprendido, es decir, tan lastimado, que el negro pudo escapar. Pero aquello fue bastante para que todos los periódicos de Inglaterra pusieran el grito en el cielo, y durante uno o dos meses, el mayor empeño del Imperio Británico fue impedir que el jefe negro saliera de ningún puerto inglés. Todos los que remotamente infundían sospechas de parecerse a él, eran sometidos a un buen lavado por el temor de que se hubieran pintado la cara como un blanco. Todo negro de Inglaterra era vigilado y sometido a un interrogatorio, y los barcos ingleses que zarpaban, menos hubieran admitido a un negro que a un basilisco. La gente vivía atemorizada por la espantosa, vasta y silenciosa fuerza de la salvaje sociedad secreta, y cuando encontramos a Flambeau y al padre Brown de codos en el parapeto de aquel terraplén, en el mes de abril, el negro significaba en Inglaterra lo que significó en otros tiempos en Escocia.

—Aún debe de estar en Inglaterra —observó Flambeau— y quizás escondido de una manera horrible. Lo hubieran detenido en algún punto, aunque se hubiera blanqueado la cara.

—Pero tenga presente que es un hombre muy listo —dijo el padre Brown, en tono laudatorio—. Estoy seguro de que no se blanquearía la cara.

—¿Pues qué haría?

—Creo —dijo el sacerdote— que se la pintaría de negro.

Flambeau, recostado en el parapeto, se echó a reír, diciendo:

—¡Pero, hombre!

El padre Brown se limitó a mover un dedo, indicando a los artistas tiznados que estaban cantando en la playa.

## X

## LA ENSALADA DEL CORONEL CRAY

En una de esas mañanitas fantásticas que se despiertan quitándose graciosamente y poco a poco el rebujo de la niebla, entre cuyo cendades aparece la claridad del alba como una luz misteriosa y nueva, el padre Brown se dirigía a casa después de la misa. Los árboles desnudos se iban dibujando entre los vellones de humo, y de trecho en trecho, se descubrían las casas del suburbio como esbozos que se iban perfeccionando hasta destacarse concretamente como residencias conocidas, en algunas de las cuales tenía amigos. Pero todas las puertas y ventanas estaban cerradas, ninguno de los habitantes pertenecía a la clase de gente que estaba levantada a tales horas. Pero mientras pasaba por detrás de una villa con galería y magnífico jardín, oyó un ruido que le hizo detenerse involuntariamente. Era el ruido inconfundible de un disparo de pistola, de carabina o de otra ligera arma de fuego, y no fue esto lo que le dejó más sorprendido. A aquel ruido seco siguió una serie de ruidos débiles, de los que contó hasta seis. Supuso que podía ser el eco, pero lo raro era que el eco no se parecía al ruido original. En realidad no le encontraba semejanza exacta; los tres ruidos a que más se parecían eran el que hace un sifón, el que hacen algunos animales y el que hace una persona que ahoga la risa. Y ninguno de ellos tenía sentido para él.

En el padre Brown había dos personalidades: el hombre de acción, modesto como una violeta y puntual como un reloj, que se consagraba de una manera reglamentaria a sus diversas obligaciones, sin pensar alterar su norma de conducta y el hombre reflexivo, que era mucho más sencillo, pero más fuerte, y a quien no era tan fácil mantener en raya, y cuyo pensamiento (en el terreno racional de la palabra) era de un hombre libre. No podía remediar, aun de una manera inconsciente, el hacer toda clase de preguntas sobre una cosa y contestar cuantas le era posible. Para él, el espíritu crítico era como la función respiratoria. Pero conscientemente nunca rebasaba su actividad la esfera de sus deberes profesionales, y en aquel caso quedaron puestas a prueba las dos actitudes. Iba a reanudar la marcha, diciéndose que aquello no era de su competencia, pero dándole vueltas a la cabeza para poner en claro la índole de aquel extraño ruido. Y en esto ya se había despejado bastante la niebla para dejarle ver que la detonación se había producido en casa de un comandante angloindio, llamado Putman, el cual tenía un cocinero de Malta que profesaba su misma religión. También recordó que los disparos de pistola son, la mayoría de las veces, cosa seria, y suelen tener consecuencias que concernían a su ministerio.

Retrocedió el padre Brown, y entrando por la puerta del jardín se dirigió al portal de la casa. A un lado del edificio había una especie de cobertizo bajo que, como luego vio, no era otra cosa que una carbonera. Por la esquina de ésta apareció, como una sombra que rondase la casa, un hombre a quien no reconoció hasta que lo tuvo cerca. El comandante Putman era un señor robusto y de mediana estatura, calvo, con cuello de toro y rostro casi apoplético, una de esas complexiones producidas por la larga combinación del clima oriental con las comodidades occidentales. Pero tenía un aspecto alegre y optimista, y aun en aquel momento de intranquila expectación conservaba una extraña sonrisa burlona. Llevaba un ancho sombrero de hoja de palmera, pero vestía un simple pijama de color escarlata y amarillo, que si para el interior ya era ligero, al aire libre *de aquella fresca madrugada* debía de resultar helado. Era evidente que acababa de salir de casa corriendo, y el sacerdote no se sorprendió al oír que le preguntaba, sin más cumplidos:

—¿Ha oído ese ruido?

—Sí —contestó el padre Brown—. Ahora quería entrar a saber si pasaba algo.

El comandante le miró de una manera extraña, y le preguntó:

—¿Qué piensa usted que ha sido?

—Me ha parecido un tiro —contestó el otro, después de vacilar un momento—, pero ha producido un eco singularmente raro.

Aún estaba el comandante mirando al sacerdote con un aire perplejo, cuando se abrió la puerta y salió apresuradamente otro hombre al jardín. Era más alto, más delgado y más musculoso; pero también llevaba un pijama tropical, aunque de más gusto, pues era blanco con listas de color de limón. Estaba ojeroso, mas era de agradable aspecto y más tostado por el sol que el otro. Su perfil era aguileño, con ojos hundidos, y la combinación de su cabellera, negra como el carbón, y de un bigote más claro, le daban un aire de extrañeza. Todo esto lo observó el padre Brown de una manera vaga, pues de momento sólo le llamó la atención el revólver que aquel hombre empuñaba.

—¡Caray! —exclamó el comandante, yendo hacia él—. ¿Ha disparado usted?

—Sí, yo —contestó acalorado el señor del pelo negro—. Y lo mismo hubiera hecho usted en mi lugar. Si se viera perseguido en todas partes por demonios y casi...

El comandante le interrumpió casi atropelladamente:

—Mi amigo el padre Brown —dijo. Y luego, dirigiéndose a Brown—: No sé si conoce al coronel Cray de la Real Artillería.

—He oído hablar de él, claro —dijo el sacerdote, con aire de indiferencia—. ¿Y ha disparado usted contra alguien?

—Creo que sí —contestó Cray, gravemente.

—¿Y ha... —preguntó el comandante, bajando la voz— ha caído o gritado, o algo?

El coronel Cray miró a su amigo de una manera fría y extraña.

—Les diré exactamente lo que hizo —dijo—. Estornudó.

El padre Brown levantó su mano a medio camino de su cabeza, como quien de pronto recuerda algo, ahora que sabía ya qué era aquello que sólo podía compararse al ruido de un sifón o al gruñido de un perro.

—¡Vaya! —exclamó el comandante—. No sabía hasta ahora que un revólver de reglamento hiciese estornudar.

—Ni yo —dijo el padre Brown—. Suerte que no le ha disparado usted la artillería, pues de seguro le hubiera producido una pulmonía. —Tras una pausa embarazosa, preguntó—: ¿Era un ladrón?

—Entremos en casa —dijo el comandante, casi con aspereza, emprendiendo la marcha.

El interior ofrecía la paradoja, frecuente a tales horas, de que las salas tuviesen más claridad que la atmósfera exterior, aun después de que el comandante apagara la luz de gas del vestíbulo. El padre Brown se quedó sorprendido al ver la mesa del comedor puesta como para celebrar un banquete, con las servilletas en sus argollas y seis copas para otros tantos vinos, junto a cada plato. Encontrar por la mañana la mesa que quedó por la noche después de comer era lo corriente; pero encontrarla preparada tan temprano, resultaba insólito.

El comandante los dejó en el vestíbulo para echar una mirada escrutadora a la mesa y de pronto se volvió vociferando:

—Todos los cubiertos de plata han desaparecido Los cuchillos y tenedores del recado volaron también. Se han llevado las vinagreras. Las cucharillas de los postres tampoco están. Ahora, padre Brown, estoy dispuesto a contestar si ha sido un ladrón.

—Son unos ciegos —dijo Cray obstinadamente—. Yo sé mejor que usted por qué la gente viene a molestar a esta casa; yo sé mejor que usted por qué...

El comandante le dio unas palmaditas en la espalda como a un niño a quien se quiere aquietar, y dijo:

—Ha sido un ladrón. Evidentemente ha sido un ladrón.

—Un ladrón con un resfriado —observó el padre Brown— que le ayudará a seguirle la pista en la vecindad.

El comandante movió la cabeza sombríamente y dijo:

—¡Quién sabe dónde debe parar a estas horas!

Y cuando el coronel de Artillería volvióse, inquieto con el revólver a la puerta del jardín, añadió en tono confidencial:

—No sé si avisar a la policía, puesto que mi amigo se ha precipitado demasiado con su arma y se ha puesto al margen de la ley. Ha vivido en tierras muy salvajes, y si he de serle franco, creo que a veces ve visiones.

—Creo que en cierta ocasión me dijo usted que se cree perseguido por cierta sociedad secreta de la India.

El comandante Putnam movió la cabeza al tiempo que se encogía de hombros.

—Será mejor que vayamos a su lado —dijo—. No quiero más... estornudos.

Salieron al jardín, ya alumbrado ahora por los primeros rayos del sol y encontraron al coronel Cray examinando casi a gatas la grava y la hierba. Mientras el comandante se acercaba al cuitado, el sacerdote con aire indiferente, dio media vuelta por la carbonera.

La estuvo contemplando un rato y luego se decidió a levantar la tapa. Se levantó una nube de polvo, pero el padre Brown se cuidaba muy poco de su persona cuando le interesaba otra cosa, y estuvo durante largo rato mirando el interior del depósito, como absorto en plegarias misteriosas. Luego apartó de allí la cabeza un poco sucia de carbonilla y se alejó como si tal cosa.

Cuando llegó a la puerta del jardín, se encontró con un grupo que parecía compuesto de personajes de Dickens por la impresión cómica que producía. El comandante Putnam había ido a vestirse y llevaba camisa limpia, pantalones y chaqueta, y su rostro sanguíneo y alegre irradiaba cordialidad. Ordinariamente se mostraba enfático, pero entonces estaba hablando con su cocinero, el atezado hijo de Malta, cuyo rostro enjuto, pálido y devorado de inquietud, contrastaba con el gorro y la ropa que llevaba. El cocinero tenía razón para estar siempre devorado de inquietudes, pues la cocina era la debilidad del comandante y era uno de esos *amateurs* que siempre quieren saber más que los del oficio. La única persona a quien permitía emitir juicio sobre la calidad de una tortilla era su amigo Cray, y como Brown recordó esta particularidad, se volvió en busca del otro oficial. Al verlo estuvo a punto de echarse a reír. El coronel se arrastraba materialmente por tierra, apoyándose en manos y rodillas, en busca del rastro de los ladrones, y dando puñetazos en el suelo al no encontrarlos. El sacerdote levantó las cejas apenado y se dijo que aquel hombre que andaba a gatas buscando un rastro material, no podía ser un visionario.

Brown conocía también al tercer personaje que formaba el grupo con el cocinero y el epicúreo: era Andrea Watson, pupila y ama de llaves del comandante, y en aquel momento, a juzgar por su delantal, sus brazos arremangados y su actitud resuelta, más en funciones de ama de llaves que de pupila.

—Se lo merece —decía—. Siempre le he dicho que no pongan en la mesa esas vinagreras tan valiosas por su antigüedad.

—Las prefiero a otras —replicó Putnam, tranquilizándola—. Yo también soy anticuado y además hacen juego con todo.

—Para perderlo todo de una vez, como usted ve —porfió ella—. Bueno, si usted no se cuida de coger al ladrón tampoco yo me cuidaré de la comida. Es domingo y no se puede ir a comprar vinagre ni nada a la ciudad, y ustedes, señores indios, no gozan con una comida en que no haya una porción de cosas calientes. Ahora me duele que le haya pedido al primo Oliver que me lleve al oficio musical. No acaba hasta las doce y media, y el coronel se ha de marchar antes. No creo que los hombres se las puedan luego arreglar por sí solos.

—¡Oh, sí, querida! —dijo el comandante, mirándola amistosamente—. Marco tiene todas las salsas, y nosotros, nos las hemos compuesto solos en muchas circunstancias peores, como bien sabes. Ya es tiempo de que te distraigas un poco, Andrea; no has de ser ama de llaves a todas las horas del día. Y bien sé que te gusta oír música.

—Me gusta ir a la iglesia —dijo ella con mirada severa.

Era una de esas mujeres hermosas que siempre lo serán, porque su hermosura no está en un gesto o en un matiz, sino en toda la estructura de la cabeza y de los rasgos. Pero aunque no era todavía de mediana edad y su pelo de un castaño rojizo evocaba las testas del Tiziano en forma y color, tenía unas sombras en su boca y en sus ojos que hacían pensar en una íntima tristeza que la iba desgastando, como desgastan los vientos con el tiempo los ángulos de un templo griego. Las pequeñas dificultades domésticas de que entonces estaba hablando con tal calor, tenían más de cómicas que de trágicas. Por el curso de la conversación, dedujo Brown que Cray, el otro *gourmet*, había de marcharse antes de la hora usual de la comida; pero que Putnam, su huésped, para celebrar la despedida de su compinche atracándose, había ideado un desayuno de que darían cuenta mientras Andrea y otras personas más graves estuviesen en el oficio de la mañana. Había de ir acompañada de un pariente y viejo amigo suyo, el doctor Oliver Oman, que no obstante sus aficiones científicas y su carácter desagradable, era un entusiasta de la música y capaz de ir a la iglesia para escucharla. Pero nada había en todo esto que pudiera relacionarse con la tragedia que asomaba a la cara de miss Watson, y por una de sus intuiciones el padre Brown se volvió al pobre chiflado que aún estaba arrastrándose ridículamente por el suelo.

Cuando se le hubo acercado, el otro levantó su desgreñada cabeza, como sorprendido de que alguien lo mirase con tal insistencia, y el mismo padre Brown hubo de confesarse que, en efecto, se había demorado más de lo que la cortesía aconsejaba.

—¡Bueno! —exclamó Cray con mirada feroz—. Supongo que me cree usted loco como los otros.

—He reflexionado sobre el particular —contestó el sacerdote, llanamente—, y me inclino a pensar todo lo contrario.

—¿Qué quiere decir? —profirió Cray, perdiendo el tino.

—Que los que están realmente locos siempre dan muestras de su enfermedad, sin que luchen nunca contra su locura. Pero usted se empeña en buscar las huellas del ladrón, aunque no las haya. Está usted luchando contra el misterio y deseando lo que nunca desea un loco.

—¿Y qué es eso?

—Desea usted que se pruebe el delito —dijo Brown.

Cray se había levantado casi de un salto y miraba al clérigo con ojos muy agitados.

—¡Diablos! —exclamó—. ¡Pues es verdad! Todos se ponen contra mí, diciéndome que el ladrón no quería más que robar la plata, como si no fuera yo el primero en alegrarse de que no haya sido otra cosa. Ella me acusa —dijo, volviendo la cabeza hacia Andrea, movimiento que no era necesario para que el otro comprendiese—, me acusa de crueldad por haber disparado contra un indefenso ladrón de pisos, y de malas intenciones contra los indefensos ingleses. Pero yo era antes una persona bondadosa... tan bondadosa como Putnam.

Tras breve pausa, continuó:

—Mire usted, es la primera vez que nos vemos; pero usted juzgará por lo que voy a contarle. Putnam y yo éramos buenos amigos y camaradas de la misma promoción; sin embargo, debido a ciertos accidentes en las fronteras afganas, obtuve mi ascenso mucho antes que otros; pero los dos obtuvimos licencia temporal. Allí era yo novio de Andrea, y juntos hacíamos el viaje de regreso. Pero durante el viaje sucedieron cosas. Cosas muy curiosas. Y como resultado, Putnam deseaba que nos separásemos y la misma Andrea quería romper conmigo... y yo sé por qué. Ya sé lo que piensan de mí. Usted también lo sabe.

»Bien; he aquí los hechos. El último día que nos hallamos juntos en una ciudad india, le pregunté a Putnam si podría yo comprar algunos cigarros de Trichinopoli, y me indicó una puerta frente al hotel. Nunca me había engañado, pero eso de mandarle a uno a una puerta de enfrente, cuando la fachada del hotel es relativamente extensa, de modo que enfrente hay cinco o seis puertas, es algo peligroso, y, en efecto, debí de equivocarme. La puertecilla se abrió con dificultad a un interior oscuro, en que nada se veía; pero cuando me volví para retroceder la puerta se cerró con un ruido de innumerables cerrojos. No tuve más remedio que seguir adelante y me vi caminando a tientas a lo largo de pasillo tras pasillo. Por fin llegué a un tramo de escalera que me condujo a una puerta ciega, atrancada por una barra de hierro que aprecié por el tacto y que por fin pude desprender. Pasé otra vez a las tinieblas, pero disipadas en parte por una débil claridad que salía de una multitud de lamparillas que ardían más abajo, y que dejaban ver únicamente los salientes de una fea y fría arquitectura. Frente a mí se levantaba algo como una montaña, y confieso que estuve a punto de caer a los pies de una gran plataforma de piedra, con la que tropecé antes de percatarme de que estaba ante un ídolo. Y lo peor era que el ídolo estaba de espaldas a mí.

»Aquello apenas me dio idea de que fuese una representación humana, a juzgar por la cabeza pequeña e inclinada, y más por algo que parecía un rabo o un pie extraordinario levantado hacia atrás y acabado en punta, como un dedo horriblemente largo, a un símbolo esculpido en la parte trasera de la gran estatua de piedra. A la escasa luz empezaba a descifrar aquel jeroglífico, no sin horror, cuando sucedió algo más horrible. Detrás de mí se abrió una puerta en la pared del templo y apareció un hombre de rostro broncíneo y chaqueta negra. En su cara de bronce se cuajaba una sonrisa que descubría sus dientes de marfil, pero lo más odioso en él era que vestía a la europea. Yo estaba preparado para ver sacerdotes envueltos en lienzos blancos o faquires desnudos; pero aquel tipo me hacía pensar que el culto de aquel diablo estaba esparcido por toda la tierra. Y realmente así lo había de comprobar.

»—Si sólo hubieses visto los pies del mono —me dijo, sonriendo y sin más preámbulo—, hubiéramos sido más indulgentes: te hubiéramos torturado y matado. Si hubieras visto la cara del mono, también hubiéramos sido moderados: te hubiéramos torturado y dejado vivo. Pero como has visto el rabo del mono, hemos de pronunciar la más severa sentencia. Y ésta es: ¡Quedas en libertad!

»Cuando hubo dicho estas palabras, la puerta giró suavemente sus goznes y se abrió por sí misma, y a través de los pasadizos por los que había llegado a tientas, oí que se abría la puerta de la calle con estrépito de cerrojos.

»—Es inútil que implores misericordia: estás libre —dijo el hombre sin que se le borrara aquella maldita sonrisa—. Desde ahora, un cabello te herirá como una espada y un asiento te picará como una lengua de serpiente; se asestarán contra ti armas salidas de la nada y morirás muchas veces.

»Dicho esto se lo tragó la pared y yo salí a la calle.

Cray hizo una pausa y el padre Brown se sentó sobre la hierba y se puso a coger margaritas. Luego el militar continuó:

—Putnam, desde luego, con su sentido común optimista desvaneció todos mis temores, y desde entonces duda de mi equilibrio mental. Bien, le contaré a usted en pocas palabras las tres cosas que me han sucedido desde entonces, y juzgará usted quién de los dos tiene razón.

»El primer caso ocurrió en una aldea de la India, a la entrada de la selva, pero a centenares de millas del templo, de la ciudad y de las tribus y costumbres donde se me había echado la maldición. Me desperté en la noche oscura y no estaba pensando en nada concreto cuando me sentí algo cosquilleante, como un hilo o un cabello que se movía por mi garganta. Me pasé la mano para apartar lo que fuese, y no pude menos de pensar en las palabras del templo. Pero cuando me levanté y me miré a un espejo, en torno a mi cuello había una raya de sangre.

»El segundo caso me ocurrió en una posada de Port Said, cuando volvíamos a casa juntos. Era una mezcla de taberna y de bazar, y aunque nada había en aquello que recordase el culto al mono, era posible que se encontrasen allí algunas de sus imágenes o talismanes. Al menos llegaba hasta allí la maldición. Me desperté otra vez con la extraña sensación, imposible de ser explicada con palabras, de que un aliento me picaba como una víbora. Me debatía en angustias mortales. Aparté la cabeza hasta la pared y luego la aparté hasta la ventana, y por fin caí más que me lancé al jardín. Putnam, el pobre, que había llamado a lo otro un arañazo casual, viose obligado a tomarse en serio el hecho de encontrarme sobre la hierba, casi sin sentido, al amanecer. Pero creo que lo que se tomaba en serio era mi estado mental, y no mi relato.

»Sucedió el tercer caso en Malta. Nos alojábamos en una fortaleza. Nuestros dormitorios se asomaban al mar, cuyas olas batían el alféizar de nuestra ventana. Me desperté también, pero no era de noche oscura. Vi la luna llena cuando me acerqué a la ventana y podía haber visto un pájaro en la muralla o un barco en el horizonte. Pero lo que vi fue una especie de bastón o rama curva que se mantenía suspendida en el aire y que atravesando la ventana, hizo añicos la lámpara que estaba junto a la almohada donde momentos antes recostaba yo la cabeza. Era una de esas armas de forma extraña que usan algunas tribus orientales, pero que entonces no salió de mano de hombre.

El padre Brown tiró un manojo de margaritas y se levantó con una viva expresión en sus ojos.

—¿Traía el comandante Putnam alguna curiosidad oriental: ídolos, armas u otra cosa por cuyo rescate valiera la pena de cometer un crimen?

—Muchos; pero creo que de escaso valor —dijo Cray—. De todos modos, será mejor que vayamos a su estudio.

De paso encontraron a miss Watson abrochándose los guantes para ir a la iglesia, y oyeron la voz de Putnam dando una lección de cocina a su cocinero. En el estudio del comandante, convertido en un museo de curiosidades, hallaron otra persona, con chistera y vestido de calle, que se inclinaba sobre un libro abierto encima de la mesita de fumar; libro que dejó caer como si lo hubiesen sorprendido *in fraganti.*

Cray lo presentó cortésmente como doctor

Oman, pero con expresión tan desfavorable que el padre Brown adivinó que, a sabiendas o a escondidas de Andrea, aquellos dos hombres eran rivales. El sacerdote participó de pronto de aquella falta de simpatía, porque el doctor Oman vestía irreprochablemente, era de agraciado semblante y apenas bastante atezado para un asiático. Pero el padre Brown se dijo que la caridad había de extenderse aún a aquellos que se acicalan la barba, que usan guantes estrechos y hablan con voz refinadamente modulada.

A Cray le irritó ver en las manos enguantadas de Oman un libro de oraciones, y dijo con cierta rudeza:

—No sabía que usted estuviese familiarizado con esos devotos.

Oman rió suavemente, aunque sin ofender, y replicó poniendo la mano sobre el libro, más grande, que había dejado caer:

—Entiendo mejor éstos. Un diccionario de drogas, narcóticos y cosas parecidas; pero es demasiado grande para llevarlo a la iglesia. —Cerró el libro a que se refería y se mostró impaciente y embarazado.

—Supongo —dijo el sacerdote, que deseaba cambiar de conversación— que todas estas lanzas y objetos son de la India.

—Son de todas partes —explicó el doctor—. Putnam es un viejo soldado y ha estado en México, en Australia y en las islas Caníbales, según tengo entendido.

—Supongo —dijo el padre Brown— que en las islas Caníbales no aprendería el arte de cocinar. —Y fijó la mirada en las ollas y otros utensilios que colgaban de la pared.

En aquel momento, el que era objeto de la frívola conversación, asomó su jovial cabeza, gritando:

—Vamos, Cray. Su comida acaba de servirse.

Y las campanas tocan llamando a los que quieran ir a la iglesia.

Cray subió corriendo a cambiarse a su aposento, y el doctor y miss Watson se mezclaron en la calle con otros fieles; pero el padre Brown notó que el doctor se volvía dos veces a mirar a la casa, y aún retrocedió, después de haber desaparecido en la esquina de la calle, para mirar de nuevo. El sacerdote se quedó intrigado.

—No puede haber estado encerrado en la carbonera —murmuró—. Al menos con ese traje. A no ser que estuviera aquí de madrugada...

El padre Brown, que tenía la sensibilidad de un barómetro para el trato de la gente, se sentía aquel día torpe y duro como un rinoceronte. No había ley ni norma social que justificase su permanencia allí, mientras los camaradas angloindios comían; pero se quedó, disimulando su situación violenta con un torrente de frases tan divertidas como innecesarias. Mientras se presentaban ante los otros los más apetitosos platos, acompañados de vinos exquisitos, él no hacía más que repetir que era aquél uno de sus días de ayuno; mascó a dos carrillos un trozo de pan con un sorbo y dejó sin probar un vaso de agua fría. Pero hablaba por los codos.

—Verán ustedes lo que les voy a hacer. ¡Voy a prepararles una ensalada! No la podrán comer, pero les sabrá a gloria. ¿Tienen una lechuga?

—Por desgracia, es lo único que nos queda —contestó el comandante de buen humor—. Recuerde que la mostaza, el vinagre y el aceite han desaparecido con las vinagreras y el ladrón.

—Ya sé —dijo el padre Brown—. Siempre he temido que pudiera ocurrir eso. Por eso llevo siempre encima todos los ingredientes de una vinagrera. Las ensaladas me gustan con delirio.

Y con gran sorpresa de los dos amigos, sacó del bolsillo de su abrigo un bote de pimienta y lo puso sobre la mesa.

—No sé para qué quería mostaza también ese ladrón —prosiguió, sacando de otro bolsillo un frasco de mostaza—. Para un sinapismo, supongo. Y vinagre —añadió, sacando este ingrediente—. Y en cuanto al aceite, creo que lo tengo en el bolsillo de la izquierda...

Su garrulería se cortó un momento, pues levantando los ojos vio lo que nadie veía: la negra figura del doctor Oman, que, desde el jardín, bañado de sol, estaba mirando al comedor. Y antes que pudiera recobrarse de la sorpresa, intervino Cray en la conversación:

—Es usted un prestidigitador admirable. De buena gana iría a oír sus sermones, si son tan divertidos como sus charlas.

Su voz se alteró ligeramente y se reclinó en la silla.

—¡Oh! Hay también sermones sobre las vinagreras —dijo el padre Brown, con cara muy seria—. ¿No ha oído usted hablar de la fe como un grano de mostaza, o de la caridad que se desparrama como el aceite? Y en cuanto al vinagre, qué soldado puede olvidar aquel soldado único, que cuando el sol se nubló...

El coronel se inclinó hacia delante y se agarró al mantel.

El padre Brown, que estaba preparando la ensalada, echó dos cucharaditas de mostaza en el vaso de agua que tenía al lado, se levantó y dijo en voz alta y autoritaria:

—¡Beba esto!

En el mismo instante, el doctor, que había permanecido inmóvil, acudió corriendo y abriendo de golpe la ventana, exclamó:

—¿Me necesitan? ¿Ha sido envenenado?

—Por poco —dijo el padre Brown, con una ligera sonrisa, porque el vomitivo había producido rápido efecto, y Cray yacía en una silla de extensión respirando trabajosamente, pero vivo.

El comandante Putnam se había levantado con el rostro alterado.

—¡Un crimen! —exclamó con voz ronca—. ¡Voy a buscar a la Policía!

El sacerdote oyó cómo cogía del perchero su sombrero de palma y salía corriendo por el portal. Oyó el golpe de la verja del jardín. Pero no dejó de atender a Cray, y tras un largo silencio, dijo:

—No le cansaré mucho con palabras, pero le diré lo que desea usted saber. No existe ninguna maldición contra usted. El templo del mono o fue una coincidencia o parte de la intriga, y la intriga fue ideada por un hombre blanco. No hay más que un arma que pueda hacer sangre con un ligero roce de su hoja: una navaja de afeitar manejada por un hombre blanco. Hay una manera de llenar un cuarto de veneno invisible y fatal, que es dejar abierta la espita del gas: el crimen de un hombre blanco. Y no hay más que un arma que pueda lanzarse por la ventana, dar la vuelta en el aire y volver a penetrar por la ventana próxima: el *boomerang* de los indígenas de Australia. Ya verá usted algunos en el estudio del comandante.

Luego salió para hablar con el doctor. Un momento después, Andrea Watson entraba corriendo en casa y caía de rodillas junto a la silla de Cray. No podía él entender lo que los otros decían, pero vio que en sus caras se reflejaba más la sorpresa que el dolor. El doctor y el sacerdote se alejaron hasta la puerta del jardín.

—Supongo que el comandante también la amaba —dijo éste con un suspiro. Y cuando el otro asintió con la cabeza, observó—: Ha sido usted muy generoso, doctor. Ha hecho una acción muy bella. Pero, ¿qué le hizo sospechar?

—Un pequeño pormenor —dijo Oman—, pero

que me tenía intranquilo en la iglesia, hasta no poder menos de venir a ver si todo iba bien. Aquel libro de la mesa es un tratado de venenos, y estaba abierto por la página en que explica que ciertos venenos de la India, aunque mortales y difíciles de descubrir, pueden contrarrestarse fácilmente con el uso de los más ordinarios eméticos. Supongo que estaría leyendo esto a última hora...

—Recordó que había eméticos en la vinagrera —acabó el padre Brown—. Exacto. Tiró la vinagrera al depósito de carbón, donde yo la encontré con los demás cubiertos de plata, todo lo cual escondió para simular un robo. Pero si examina usted el bote de la pimienta que he vuelto a la mesa, verá un agujerito. Lo abrió la bala de Cray, haciendo saltar la pimienta y provocando los estornudos del criminal.

Se produjo entre los dos hombres un largo silencio. Luego, el doctor Oman observó, haciendo una mueca:

—El comandante tarda mucho en encontrar a la Policía.

—O la Policía en encontrar al comandante —dijo el sacerdote—. Bueno, adiós.

XI

## EL EXTRAÑO CRIMEN DE JOHN BOULNOIS

Mr. Calhoun Kidd era un señor muy joven con cara de viejo, una cara áspera, enmarcada de pelo negro como ala de cuervo y con una chalina que parecía una enorme mariposa negra. Era el corresponsal en Inglaterra del colosal diario americano titulado *The Western Sun* (El Sol de Poniente), apodado humorísticamente el «Rising Sunset», o sea «La Aurora de Poniente». Era una alusión a las declaraciones de un gran periodista, que se atribuían al mismo Kidd, según las cuales el sol saldría por occidente si los americanos se movían un poco más. Pero los que se mofan del periodismo americano desde un punto de vista de más sazonadas tradiciones olvidan cierta paradoja que en parte lo redime. Pues aunque el periodismo de Estados Unidos se permite alguna que otra vulgaridad en que ya no caen los periódicos ingleses, siente un verdadero interés por los problemas espirituales más vivos, que ya no recoge la Prensa inglesa por desidia o incapacidad. El *Sun* estaba lleno de los asuntos más serios tratados de una manera burlesca. William James figuraba allí como el «Pesado Willie», y los filósofos alternaban con los púgiles en una galería bien surtida de retratos.

Así, pues, cuando un miembro discretísimo de Oxford, llamado John Boulnois escribió en una revista titulada *La Física Trimestral* una serie de artículos sobre ciertos puntos, considerados flojos, de la evolución darvinista, no hizo que un solo ángulo de un periódico inglés se agitase, y eso que la teoría de Boulnois (que no era otra cosa que la de un universo relativamente estacionario y afectado de vez en cuando por convulsiones de cambios) logró ponerse siquiera frívolamente de moda en Oxford, hasta el punto de ser bautizada con el nombre de «Catastrofismo». Pero muchos periódicos americanos aceptaron el reto como un gran acontecimiento, y el *Sun* proyectó la sombra gigantesca de Mr. Boulnois sobre sus páginas. Por esa paradoja a que hemos aludido se escribieron artículos de tanto valor científico como llenos de entusiasmo, presentados con encabezamientos que parecían redactados por un chiflado analfabeto. Se leían como éstos: «Darwin muerde el polvo», el «Crítico Boulnois dice que Darwin prescinde de las Conmociones» o «Me atengo a las catástrofes, dice el pensador Boulnois.» Y Mr. Calhoun Kidd recibió aviso de ir con su chalina de mariposa y su cara lúgubre a visitar la casita de las afueras de Oxford, donde el pensador Boulnois vivía en feliz ignorancia de este título.

El predestinado filósofo había accedido con cierto aturdimiento a la entrevista y señalado para ella las nueve de la noche. Los últimos rayos del sol rasaban las verdes colinas de Cumnor cuando el romántico yanqui caminaba dudando sobre el camino que seguía e ignorante de cuanto le rodeaba. Y viendo abierta la puerta de un mesón, de aspecto genuinamente feudal, llamado nada menos que «El Adalid», entró a preguntar.

En la sala de bebidas tocó la campana, a cuya llamada tardaron buen rato en acudir. La única persona allí presente era un hombre flaco, de pelambrera rubia y con traje de montar, que bebía un detestable aguardiente, pero fumaba un estupendo cigarro. El aguardiente, desde luego, era de la honrosa marca de «El Adalid»; el cigarro, probablemente lo habría traído de Londres. Nada más opuesto al rígido aseo del apuesto joven americano que el cínico descuido en el porte exterior de aquel hombre, pero el lápiz y el cuaderno de notas que manejaba y una expresión de alerta en sus azules ojos hizo sospechar al avisado Kidd que tal vez había tenido la suerte de encontrarse ante un colega.

—¿Quiere usted hacer el favor —preguntó Kidd, con la cortesía que se usa en su país— de indicarme la dirección de la Torre Verde, donde vive Mr. Boulnois, según tengo entendido?

—Está a pocos metros de la carretera —dijo el hombre rubio, quitándose de la boca el cigarro—. Yo pasaré por allí dentro de un momento, pero voy al Pendragon Park a ver si puedo ver esa farsa.

—¿Qué es Pendragon Park? —preguntó Calhoum Kidd.

—La finca de sir Claude Champion. ¿No ha venido usted también para eso? —preguntó el periodista, levantando la cabeza—. Usted es periodista, ¿verdad?

—He venido para ver a Mr. Boulnois —dijo Kidd.

—Yo he venido a ver a la señora Boulnois —replicó el otro—. Pero no la encontré en casa.

Y se echó a reír sin ganas.

—¿Le interesa a usted el Catastrofismo? —preguntó, admirado, el yanqui.

—Me interesan las catástrofes, y va a haber algunas. El mío es un cochino oficio y nunca he dicho lo contrario.

A pesar de que, al decir esto, escupió a tierra, fácilmente se echaba a ver que aquel hombre había sido educado como corresponde a un caballero.

El americano lo examinó detenidamente. Su rostro pálido y de disipación era reflejo de formidables pasiones ya enfriadas, pero indicaba también inteligencia y sensibilidad, y, aunque sus ropas eran ordinarias, llevaba en sus manos un anillo enorme con escudo de armas. Su nombre, que salió en el curso de la conversación, era el de James Dalroy. Era hijo de un propietario irlandés venido a menos, y formaba parte de la redacción de un periódico que odiaba de todo corazón, titulado *El Mundo Elegante,* en calidad de reportero y un si es o no con carácter de espía.

*El Mundo Elegante,* siento decirlo, no sentía el menor interés por Boulnois como enmendador de la teoría de Darwin, que tanto apasionaba a los de *The Western Sun.* Dalroy acudía al olor de un escándalo que podía acabar en una causa de divorcio y que en aquel entonces se cernía sobre Torre Verde y Pendragon Park.

Sir Claude Champion era conocido de todos los lectores de *El Sol de Poniente* como Mr. Boulnois. También lo eran el Papa y el vencedor del Derby; pero la idea de que se tratasen aquellos dos señores íntimamente no podía menos que sorprender a Kidd. Conocía a sir Claude Champion y en realidad escribía de él más de lo que sabía, presentándolo como uno de los más brillantes y opulentos ingleses, como un deportista incomparable que cruzaba los mares con su yate, como un viajero denodado que escribía libros sobre los Himalayas, como un político que arrebataba los distritos electorales con sus brillantes campañas democráticas, y como muy entendido en arte, en música, en literatura, y especialmente en teatro. Sir Claude era personaje magnífico a los ojos de los americanos, sólo comparable a los príncipes del renacimiento por su culta voracidad y sus ansias de celebridad. No había en él nada de la frivolidad antigua que tan bien se lleva con la palabra «dilettante».

Su irreprochable perfil aguileño, que tantas veces había sido captado por la cámara fotográfica para *El Mundo Elegante* y *El Sol Poniente*, daba la impresión de un hombre devorado por la ambición como por un fuego o una enfermedad. Pero aunque Kidd sabía muchas cosas de Sir Claude y en realidad muchas más de las que podían saberse, jamás se le hubiera ocurrido pensar que el celebrado aristócrata tuviera la menor relación con el recién desenterrado fundador del Catastrofismo, ni sospechar que Sir Claude Champion y John Boulnois fuesen amigos íntimos. Pero, según Dalroy, tal era la verdad. Los dos habían ido juntos a cazar en sus tiempos de estudiantes, y aunque sus destinos dentro de la sociedad fueron muy diferentes, ya que el primero era un gran terrateniente y casi millonario y Boulnois no era más que un pobre profesor universitario hasta entonces poco menos que olvidado, aún seguían viviendo muy juntos. En efecto, la residencia de Boulnois estaba contigua a las verjas del Pendragon Park.

Pero la amistad de los dos hombres se iba poniendo muy oscura y muy fea para prever si sería duradera. Aún no hacía dos años que Boulnois se había casado con una hermosa artista a quien quería según su carácter encogido y ponderado, y la proximidad del palacio de Champion dio a este célebre personaje la oportunidad de conducirse de una manera que no podía dejar de despertar penosos recelos y una fundada inquietud. Sir Claude había llevado a la perfección el arte de la publicidad, y parecía experimentar un loco placer en desplegar ostentosamente una intriga que no podía redundar, por cierto, en su honor. Los lacayos de Pendragon no cesaban de llevar ramos de flores a la señora Boulnois; carrozas y automóviles se paraban de continuo a las puertas de la torre para recoger a la señora Boulnois; cada día se celebraban bailes y fiestas en que el propietario se mostraba rendido ante la señora Boulnois, como ante la reina del amor y la belleza en un torneo. Aquella misma noche, señalada por Mr. Kidd para una brillante exposición del Catastrofismo, había sido elegida por Sir Claude Champion para una representación al aire libre de *Romeo y Julieta*, en que él haría de Romeo, y de Julieta, huelga decir quién.

—No sé si podrá terminar la fiesta en paz —dijo el hombre rubio, levantándose y sacudiéndose—. Boulnois puede quedar bien o mal parado en este asunto; pero si es un hombre digno sabrá a qué atenerse.

—Es un hombre de una gran inteligencia —dijo Calhoum Kidd, con voz profunda.

—Sí —contestó Dalroy—, pero por inteligente que sea, no querrá pasar por un cobarde. ¿Se marcha usted? Dentro de un momento voy yo también.

Después de apurar un vaso de café con leche, el elegante Calhoum Kidd salió en dirección a la Torre Verde, dejando a su cínico informador con su aguardiente y su tabaco. Había anochecido y el cielo era de un gris pizarroso, salpicado de algunas estrellas, y el horizonte se teñía con la promesa de una próxima luna.

La Torre Verde estaba atrincherada entre una cerca alta de plantas trepadoras, tan cerca de los pinos y de las verjas de Pendragon Park que Kidd la confundió al principio con el pabellón del portero del Parque. Pero al ver al hombre en la estrecha puerta de madera y en su reloj la hora en punto señalada por el «Pensador» para la entrevista, entró y llamó a la puerta del edificio. Desde el interior del jardín pudo ver que la casa, aunque sin pretensiones, era más grande y suntuosa de lo que le pareció a primera vista, y que no se podía confundir con el pabellón del portero. Casi junto a la puerta había una perrera y una colmena como símbolos de la vieja vida campesina inglesa. La luna asomó por encima de un bosque de perales cargados de fruto. El perro, que salió de su alojamiento, adoptó una actitud reverente, y se negó a ladrar, y el criado, sencillo y de edad madura, que salió a abrir la puerta, se mostró lacónico, pero digno.

—Mr. Boulnois me ha rogado que le presente sus excusas —dijo—, pero se ha visto obligado a salir precipitadamente.

—Pero, ¿cómo? ¡Si me ha señalado hora! —dijo el periodista, levantando la voz—. ¿Sabe usted adónde ha ido?

—Al Pendragon Park, señor —contestó el criado, con sombrío aspecto y empezando a cerrar la puerta.

Kidd se impacientó.

—¿Ha salido con la señora..., con los demás? —preguntó de una manera vaga.

—No, señor —dijo, secamente, el criado— se quedó en casa y luego salió solo.

Y cerró la puerta con adustez, pero con aire de haber cumplido su deber.

El americano, esa mezcolanza de impudor y de sensibilidad, se sintió molestado. Estuvo tentado de patear, de armar un escándalo dándoles a todos una lección para que aprendieran a respetar a los hombres de negocios, y se quedó echando pestes contra el perro, que ya no podía ladrar de viejo, contra el mayordomo, que sentía el orgullo de la prehistórica pechera almidonada, contra la luna y, especialmente, contra aquel sabio lunático que no sentía el menor respeto por una cita.

—Si se conduce así, merecido se tiene el despego de su mujer. Pero quizá haya ido a promover un escándalo. Y en tal caso, no puede faltar allí un representante de *El Sol Poniente.*

Y pasando por la puerta de las verjas, que estaba abierta, se dirigió por la avenida del oscuro pinar que conducía a los jardines interiores del Pendragon Park. Tan espesos eran los pinos que se imaginaba andando por una profunda zanja sobre la cual lucían algunas estrellas. El paraje le impresionaba como si se oliese algo que murió en el siglo XVIII, olor de jardín húmedo y de jarrones rotos, de algún mal que no tenía remedio, de algo que causa una tristeza incurable precisamente porque nada tiene de real.

Más de una vez, mientras avanzaba por aquel camino trágicamente artificial, se detuvo sobresaltado, creyendo oír pasos frente a él. Pero no veía nada, sino las paredes de negrura que ponían los pinos a cada lado, y las estrellas que brillaban en el camino del cielo que pasaba sobre su cabeza. Pensó al principio que aquello era cosa de su imaginación o eco de sus propios pasos; pero a medida que avanzaba llegó a la conclusión, con el escaso juicio que aún le quedaba, de que realmente alguien andaba también por aquel camino. Acabó pensando en duendes y le sorprendió lo fácilmente que podía imaginarse a un duende local de cara enharinada, como Pierrot, con unos lunares negros. El vértice del triángulo de azul oscuro que formaba el cielo recortado por los árboles, se hizo más azul y más brillante; pero no atinaba a pensar que estaba aproximándose al jardín y al edificio. Únicamente sentía que la atmósfera se hacía más intensa, que en el triste ambiente había más violencia y más misterio, más..., dudaba en la palabra, y luego pensó, riendo: más Catastrofismo.

Más pinos, más senda recorrida, y de pronto, se detuvo clavado en el suelo como por arte de magia. Huelga decir que hasta entonces le parecía estar soñando, pero desde aquel punto se sintió en plena leyenda viva. Los seres humanos estamos acostumbrados a las cosas inapropiadas, al martilleo de lo incongruente, que nos duerme como una música suave. Si sucede algo apropiado nos despierta con el dolor de una música perfecta. Sucedió lo que podía suceder en aquel paraje en un cuento olvidado.

Por encima del negro pinar pasó volando y refulgiendo a la luz de la luna la hoja de una espada, tan fina y puntiaguda como muchas de las que debieron de cruzarse en injusto duelo en aquel viejo bosque. Cayó en la senda, frente a él, y se quedó brillando en la oscuridad cual una inmensa aguja. El americano corrió como una liebre y se inclinó a mirarla. Vista de cerca parecía un arma de lujo. Los rubíes incrustados en el puño y en la guarda eran algo dudosos. Pero había en la hoja otras gotas rojas que no ofrecían la menor duda.

Miró con cara sombría en la dirección por donde había venido el arma arrojadiza y vio que por allí se interrumpía la senda enarenada formando ángulo recto con un camino más estrecho, al fondo del cual aparecía en todo su esplendor la casa señorial, con un lago y una fuente delante. No se entretuvo en mirar aquello, porque algo más interesante atraía su atención.

En un ángulo de la terraza del jardín había una

de esas pintorescas sorpresas, frecuentes en los antiguos jardines: un promontorio de vegetación con tres círculos o cercas concéntricas de rosas, y en la parte más alta un reloj de sol. Kidd estaba al pie de este raro monumento que se elevaba por encima de su cabeza, de modo que podía ver destacada contra el cielo la aguja del cuadrante, como la aleta dorsal de un tiburón y la vaga luz de la luna reflejándose en el reloj. Pero vio otra cosa que se agarraba al reloj: vio una forma humana que lo llenó de horror.

Aunque la visión no duró más que un instante, y el objeto de la misma vestía de pies a cabeza de un modo desusado e inverosímil, un traje de color carmesí con adornos de oro, conoció quién era, al débil resplandor de la luna. Aquella cara cuidadosamente afeitada y pálida que se volvía al cielo le era muy conocida por haber visto más de cien retratos publicados de Sir Claude Champion. Aquella figura roja se apoyó un momento en el zócalo del reloj, perdió el equilibrio y cayó rodando por la colina artificial a los pies del americano, donde se quedó moviendo penosamente un brazo. Un adorno de la bocamanga recordó de pronto a Kidd *Romeo y Julieta*, y, en efecto, el traje encarnado formaba parte de la comedia. Pero bajo el banco de donde había caído el hombre se veía un charco de sangre que no formaba parte de la comedia, sino que había salido de las venas del hombre.

Mr. Calhoum Kidd se puso a gritar como un loco. De nuevo le pareció oír pasos de fantasmas, y se estremeció al ver a otro a su lado. Lo conocía y, no obstante, le llenó de horror. El joven que decía llamarse Dalroy lo había seguido de cerca. La luna, que decoloraba las cosas, ponía en la cara de Dalroy un aspecto siniestro.

Esta serie de impresiones desconcertantes podrían haber servido de excusa a Kidd cuando gritó sin motivo justificado.

James Dalroy le dirigió una sonrisa burlona, pero antes que pudiera hablar, la figura yacente movió otra vez el brazo. indicando vagamente el lugar desde donde había caído la espada, lanzó un gruñido y por fin pudo decir:

—Boulnois, Boulnois, digo... Boulnois lo hizo..., celoso de mí..., estaba celoso, estaba, estaba...

Kidd se agachó para oír mejor, y sólo pudo recoger estas palabras:

—Boulnois... Boulnois..., con mi propia espada..., la tiró...

El brazo se movió de nuevo hacia la espada y después de un ligero estremecimiento se quedó rígido. En Kidd se despertó el agrio humor que es la extraña sal de la seriedad de su raza, y dijo con aspereza y en tono imperioso:

—Escuche, vaya usted a buscar a un médico. Este hombre ha muerto.

—Y a un sacerdote también, supongo —dijo Dalroy con un tono indescriptible—. Todos estos Champion son papistas.

El americano se arrodilló junto al cadáver, le auscultó el corazón, le levantó la cabeza y trató de salvarlo; pero antes que el periodista apareciese con el doctor y el sacerdote, estaba dispuesto a afirmar que llegaban demasiado tarde.

—¿También usted llegó demasiado tarde? —preguntó el doctor, que era un hombre de peso y de respetable aspecto, con sus bigotes y patillas, dirigiendo a Kidd una mirada de sospecha.

—En cierto modo también —murmuró el representante del *Sol*—. Llegué demasiado tarde para salvarlo, pero a tiempo para oír algunas palabras de importancia. Oí cómo denunciaba al asesino, poco antes de expirar.

—¿Y quién es el asesino? —preguntó el doctor, juntando las cejas.

—Boulnois —dijo Calhoum Kidd.

El doctor se le quedó mirando de una manera extraña, pero no lo contradijo. El sacerdote, que era un señor bajito, intervino humildemente:

—Me habían dicho que Mr. Boulnois no vendría esta noche al Pendragon Park.

—También estoy dispuesto a prestar declaración sobre ese particular —se apresuró a explicar el yanqui—. Sí, señor. John Boulnois tenía la intención de quedarse esta noche en casa, donde había de celebrar conmigo una entrevista, para la que me señaló hora. Pero cambió de propósito, John Boulnois salió precipitadamente de casa y se vino solo a este maldito parque hace cosa de una hora. Así me lo dijo el mayordomo. Creo que estamos en posesión de una buena pista para la Policía. ¿Ya la han avisado ustedes?

—Sí —contestó el doctor—. Pero todavía no hemos causado la menor alarma.

—¿Y lo sabe la señora Boulnois? —preguntó James Dalroy. Y de nuevo sintió el americano un vivo impulso de meterle un directo a la boca.

—Yo no se lo he dicho —contestó el doctor, de mal talante—. Pero aquí está la Policía.

El sacerdote se había apartado un poco hasta el camino principal y volvió con la espada, que en sus manos parecía demasiado larga y teatral, comparada con su desmedrado tipo clerical y vulgar a un tiempo.

—Antes de que se acerque la Policía —dijo en tono de excusa—, ¿lleva alguien de ustedes una luz?

El periodista americano sacó una linterna eléctrica y el sacerdote proyectó la luz a la mitad de la hoja, que examinó minuciosamente. Luego, sin mirar la punta ni el puño de la espada, la entregó al doctor.

—Mi presencia es inútil aquí —dijo, lanzando un ligero suspiro—. Buenas noches, señores.

Y se alejó por la oscura avenida en dirección a

la casa, con las manos a la espalda y la cabeza agobiada de pensamientos.

El resto del grupo se dirigió corriendo al pabellón de la puerta del jardín, donde un inspector y dos agentes estaban preguntando ya a un portero.

El sacerdote no detuvo sus pasos hasta las escalinadas de la casa, porque percibió, de pronto, los que se acercaban de una persona que hubiera satisfecho las exigencias del mismo Calhoun al desear la aparición de un fantasma hermoso y aristocrático. Era una señora joven, que vestía un traje de seda de estilo Renacimiento y ostentaba dos largas trenzas rubias, entre las cuales la palidez de su rostro le daba un aire de estatua griega tallada en marfil y oro. Pero sus ojos brillaban, y su voz, aunque débil, sonaba confiadamente.

—¿El padre Brown? —dijo.

—¿La señora Boulnois? —contestó el otro con triste acento. Y después de mirarla, añadió—: Ya veo que sabe lo de Sir Claude.

—¿Cómo puede usted decir que yo lo sé? —preguntó ella, alarmada.

El sacerdote, en vez de contestar, le hizo otra pregunta:

—¿Ha visto usted a su marido?

—Mi marido está en casa. Nada tiene que ver con eso.

Tampoco contestó el sacerdote, y la mujer se acercó a él con una expresión de curiosa intensidad.

—¿Quiere que le diga algo más? —preguntó, con una sonrisa miedosa—. No creo que él haya hecho eso, y usted tampoco lo cree.

El padre Brown le correspondió con una mirada grave, y luego movió la cabeza con más gravedad aún.

—Padre Brown —dijo la señora—, quiero decirle todo lo que sé; pero ha de hacerme usted antes un favor. ¿Quiere decirme *por qué* no ha sacado usted la conclusión de que el pobre John es culpable, como han hecho los demás? No me importa lo que diga. Ya sé que todas las murmuraciones estarán ahora contra él.

El padre Brown parecía sinceramente esperanzado y se pasó la mano por la frente.

—Por dos sencillas razones —dijo—. Al menos una de ellas es verdaderamente trivial, y la otra muy vaga. Pero, con todo, me inducen a creer que Mr. Boulnois no es el asesino.

Levantó la vista a las estrellas y siguió hablando, como distraído:

—En cuanto a la idea vaga, he de confesar que doy gran importancia a las ideas vagas. Todas esas circunstancias que no llegan a ser pruebas, son lo que me convencen. Para mí, una imposibilidad moral es la mayor de las imposibilidades. Conozco a su marido muy superficialmente, pero este crimen, como realizado por él, lo considero moralmente imposible. No quiero decir que Boulnois no pueda ser tan malvado. Todos los hombres pueden ser unos malvados, tan malvados como quieran. Podemos dirigir nuestra voluntad moral; pero, generalmente, no podemos cambiar nuestros gustos instintivos o nuestro modo de hacer las cosas. Boulnois puede cometer un crimen, pero no este crimen. No puede haber cogido la espada de Romeo, desnudándola de la romántica vaina para atravesar a su enemigo contra el reloj de sol como sobre un altar, ni abandonar su muerto entre las rosas, ni arrojar la espada entre los pinos. Si Boulnois matase a alguien, lo haría sin ruido ni ostentación, como hace cualquier otra cosa dudosa, como beberse la décima copa de oporto o leer un pesado poema griego. Pero una acción romántica no es propia de Boulnois, es más propia de Champion.

—¡Ah! —exclamó ella, mirándolo con ojos como dos estrellas.

—Y la razón trivial es la siguiente —dijo el padre Brown—. En la espada hay impresiones digitales. Las impresiones digitales pueden verse a simple vista si han quedado en superficie pulimentada como el vidrio o el acero. Y éstas estaban en una superficie pulimentada. Estaban en la mitad de la hoja de la espada. No sé de quién son ni puede saberse sin tener la clave. Pero, ¿a quién se le ocurriría coger la espada por la hoja? Era una espada larga, lo que es una ventaja para herir a un enemigo, al menos a muchos enemigos; a todos los enemigos, excepto a uno.

El padre Brown miró fijamente a la bella *Julieta.*

—¡Excepto a uno! —repitió la mujer.

—Sólo hay un enemigo a quien sea más fácil herir con un puñal que con una espada.

—Ya lo sé —dijo la señora—. ¡A sí mismo!

Hubo un largo silencio, y luego el sacerdote preguntó, de súbito:

—¿Tengo, pues, razón? ¿Sir Claude se mató a sí mismo?

—Sí —contestó ella, blanca como el mármol—. Yo lo vi.

—¿Murió por amor a usted?

La cara de la mujer expresó un sentimiento extraordinario, muy diferente de la piedad, la modestia, el remordimiento o cualquier otra cosa que él pudiera esperar.

Y su voz se hizo de pronto fuerte y llena al exclamar:

—No creo que yo le importase un comino. Odiaba a mi marido.

—¿Por qué? —preguntó el otro, apartando la vista del cielo para fijarla en la señora.

—Odiaba a mi marido porque... Es tan raro, que no sé cómo decirlo... Porque...

—Diga —le animó el padre Brown con paciencia.

—Porque mi marido no quería odiarlo.

El padre Brown se limitó a mover la cabeza como si siguiera escuchando. Se distinguía de muchos detectives de la vida real y de las novelas en un ligero pormenor, consistente en que nunca fingía no entender una cosa cuando la entendía bien.

La señora Boulnois se volvió a acercar con la refrenada alegría que le daba aquella seguridad.

—Mi marido —dijo— es un gran hombre. Sir Claude Champion no era un gran hombre. Mi marido nunca ha sido célebre ni hombre de grandes éxitos, y la verdad es que nunca ha soñado siquiera en serlo. Nunca pensó alcanzar más fama pensando que fumando cigarros. En cuanto a esto no ha pasado de ser un solemne estúpido. No ha sabido medrar ni le ha importado. Quería a Champion con la misma sinceridad que cuando eran estudiantes. Lo admiraba como podría admirar un juego de manos realizado de sobremesa. Pero nunca le pasó por la cabeza *envidiar* a Champion. Y *Champion deseaba que se le envidiase.* Se volvió loco y se mató por eso.

—Sí —dijo el padre Brown—. Creo que empiezo a comprender.

—¡Oh! ¿No lo ve usted? —exclamó ella—. Todo respondía al mismo propósito. Champion puso a John en una casita situada a la misma puerta de la suya, como a un dependiente, para hacerle sentir su fracaso. Pero John no lo sintió nunca. No piensa en estas cosas más... de lo que pensaría un león distraído. Champion se presentaba en casa a las horas más intempestivas o durante las comidas con algún regalo deslumbrante o noticia o propuesta de excursión, como un Harún Alraschid, pero John aceptaba o rehusaba amistosamente, mirando distraídamente como un colegial que se muestra de acuerdo o disconforme con otro. Al cabo de cinco años John no había cambiado ni un pelo en su actitud, y Sir Claude Champion era un místico.

—Y Amán empezó a contarles —dijo el padre Brown— todas las cosas con que el rey le había honrado; y él dijo: «Todas estas cosas no me aprovechan de nada mientras vea el judío Mardoqueo sentado en la puerta.»

—Vino la crisis —continuó la señora Boulnois— cuando persuadí a John de que me dejase copiar algunas de sus investigaciones para mandarlas a una revista. Empezaron a llamar la atención, especialmente en América, y un periódico deseaba publicar una entrevista con él. Cuando Champion, que cada día era entrevistado, se enteró de que a su inocente rival se le echaba este mendrugo de fama, rompió el último eslabón de la cadena que sujetaba su diabólico odio. Luego empezó a poner asedio a mi propio amor y a mi honradez, dando que hablar a todo el condado. Me preguntará usted por qué le permitía yo tan insidiosas atenciones, pero yo no podía rehuirlas sin dar una explicación a mi marido, y hay ciertas cosas que el alma no puede hacer, como el cuerpo no puede volar. No podía explicarle a mi marido, ni yo ni nadie: Si le dice usted, lisa y llanamente: «Champion te roba a la mujer», lo consideraría una broma de mal gusto. Pero nadie podrá persuadirle que puede haber en ello algo más que una broma. Bien; John había de venir a vernos representar la comedia, pero a última hora dijo que no vendría, porque había abierto un libro interesante y encendido un cigarro. Se lo anunció a Sir Claude, y aquello fue para él un golpe mortal. El maniático se mostró desesperado. Se hirió a sí mismo, gritando como un energúmeno que Boulnois lo mataba, y allí está muerto, en el jardín, muerto por sus propios celos para producirlos en otro, mientras John está sentado en el comedor leyendo un libro.

Se produjo un violento silencio, que rompió el sacerdote, diciendo:

—Sólo hay un punto flojo, señora Boulnois, en todo lo que me ha contado. Su marido no está sentado en el comedor leyendo un libro. Ese periodista americano me ha dicho que fue a su casa, y su mayordomo le anunció que Mr. Boulnois había ido al Pendragon Park, después de todo.

Ella abrió desorbitadamente los ojos, expresando más aturdimiento que confusión o miedo.

—Pero, ¿qué quiere usted decir? —preguntó—. ¡Si todos los criados están fuera de casa para asistir a la función de teatro! ¡Además, no tenemos mayordomo, gracias a Dios!

El padre Brown dio un brinco y giró sobre sus talones como una peonza grotesca. Diríase que le habían infiltrado nueva vida.

—¿Cómo? ¿Cómo? Oiga, oiga: ¿me recibirá su marido si voy a verle a casa?

—Ahora ya habrán llegado los criados —contestó ella, pensativa.

—¡Bueno, bueno! —gritaba, entusiasmado, el clérigo, iniciando su marcha hacia la puerta del parque. Y al momento volvió para decir—: Convendría disuadir a ese yanqui. Si no queremos que «El crimen de John Boulnois» se lea en toda la República en grandes caracteres.

—No se ha hecho usted cargo de lo que le he dicho —observó la señora Boulnois—. A él no le importaría eso. No creo que se imagina siquiera que América exista.

Al llegar el padre Brown a la casa guardada por un perro mudo y una colmena, salió a abrirle una doncella jovencita y limpia, que lo condujo al comedor, donde Boulnois permanecía aún sentado, leyendo a la luz de una lámpara, tal como lo había descrito su mujer. A su espalda había una botella de oporto y una copa de vino, y apenas entró el sacerdote observó éste que el cigarro quemaba muy cerca de la faja, que el otro no se había preocupado en arrancar.

«Hace por lo menos media hora que está aquí —pensó el padre Brown. Y en realidad ofrecía el aire de estar allí sentado desde que acabó de comer.»

—No se levante, Mr. Boulnois —dijo el sacerdote con su peculiar sencillez—. No le interrumpiré más que un momento. Temo haber venido a estorbarle en alguno de sus estudios científicos.

—No —dijo Boulnois—. Estaba leyendo «El Dedo de Sangre».

Lo dijo sin fruncir el ceño ni sonreír, y su visitante tuvo la impresión de una profunda y viril indiferencia por parte del hombre a quien su mujer llamaba grande. Dejó a un lado un novelucho del género policíaco, sin ni siquiera sentir la conveniencia de comentar de una manera humorística el hecho de estar leyéndolo. John Boulnois era un hombre grueso, tardo de movimientos y de cabeza maciza, calva gris y facciones ásperas y nudosas. Vestía un traje de etiqueta, pasado de moda, con una estrecha y triangular abertura que descubría la pechera planchada de la camisa; se había vestido así con el propósito de ir a ver actuar a su mujer en el papel de *Julieta.*

—No le distraeré mucho tiempo de la lectura de «El Dedo de Sangre» o cualquier otro asunto catastrófico —dijo el padre Brown, sonriendo—. Sólo he venido a preguntarle algo sobre el crimen que ha cometido usted esta noche.

Boulnois le miró muy serio, con un frunce rojo entre sus anchas cejas, produciendo el efecto de que tropezaba con un obstáculo por primera vez en la vida.

—Sé que ha sido un crimen extraño —afirmó Brown en voz baja—. Más extraño que un asesinato... para usted. Las pequeñas faltas son con frecuencia de más difícil confesar que las grandes; mas por eso es tan importante que se confiesen. Delitos como el suyo los cometen todas las personas de importancia seis veces por semana, y, no obstante, siente usted que le quema la lengua como una atrocidad que no tiene nombre.

—Hay cosas —dijo el filósofo lentamente— que le hacen a uno sentirse tonto.

—Ya lo sé, pero a veces es mejor hacerse el tonto que serlo.

—No puedo analizarme bien de momento —continuó Boulnois—, pero sentado aquí, con esta novela, me sentía feliz como un colegial en día de fiesta. Estaba en paz y tranquilidad, en uno de esos estados del que ya no nos moveríamos. No puedo explicarlo... Tenía los cigarros y las cerillas al alcance de mi mano... el *Dedo* presentaba cuatro aspectos más para... Y no sólo era la paz, sino una plenitud. Entonces tocaron el timbre y durante un minuto angustioso pensé que no podría levantarme de la silla, que material, física y mentalmente no podría. Lo hice luego como un hombre que levanta el mundo, porque sabía que la servidumbre estaba fuera de casa. Abrí la puerta y vi a un hombre con la boca abierta para hablar y el cuaderno de notas abierto para escribir. Me acordé del yanqui que había de venir a entrevistarme y de quien me había olvidado. Llevaba el peinado partido en dos bandos por la mitad, y he de decirle que ese asesinato...

—Comprendo —dijo el padre Brown—. Ya lo he visto.

—Yo no lo cometí —continuó el pacífico catastrofista—. No hice más que mentir. Le dije que me había marchado a Pendragon Park y le cerré la puerta en las narices. Éste es mi crimen, padre Brown, y no sé qué castigo me impondría usted por él.

—Yo no le impondría ningún castigo —dijo el señor clérigo, recogiendo su sombrero y su paraguas, con aire de cierta jovialidad—. Al contrario. He venido especialmente para evitarle la pequeña pena que de otra manera sería consecuencia de su pequeña falta.

—¿Y cuál es esa pequeña pena —preguntó Boulnois, sonriendo—, que tan afortunadamente he podido evitar?

—La horca —dijo el padre Brown.

XII

# EL CUENTO DE HADAS DEL PADRE BROWN

La pintoresca ciudad del Estado de Heiligwaldenstein era uno de esos reinos de juguete que todavía existen en ciertas partes del Imperio alemán. Había pasado a la hegemonía prusiana en los últimos tiempos, apenas quince años antes de aquel día de verano en que Flambeau y el padre Brown se encontraban sentados en uno de sus jardines y bebiendo su cerveza. Sus habitantes no recordaban que en su vida hubiera habido allí la menor guerra ni estricta justicia, pero bastaba mirar aquello para no poder apartar la impresión de puerilidad que es el más encantador aspecto de Alemania, con sus paternales monarquías de melodrama en que un rey parece tan de casa como un cocinero, Los soldados, con sus innumerables garitas de centinela, parecían juguetes alemanes; las murallas limpiamente recortadas del castillo, doradas de sol, parecían de pan de jengibre. Hacía un tiempo magnífico. El cielo era tan azul de Prusia como Potsdam podía exigir; pero aún más era de un color tan brillante como sólo un muchacho es capaz de sacar de una caja de pinturas. Hasta las copas de los árboles tenían un verdor tierno con trazos de color de rosa, que al destacarse en el azul del cielo, remedaban dibujos de muchachos.

A pesar de su aspecto vulgar y los quebrantos de la vida trabajosa, el padre Brown no carecía de ciertos ribetes románticos, aunque, en general, gustaba de gozar a solas cuando soñaba despierto, como hacen tantos niños. Rodeado de tan vivos colores, en que se destacaba el escudo heráldico de la pintoresca ciudad, se sentía aquel día en pleno cuento de hadas. Como un hermanito menor se complacía en jugar con el bastón estoque que Flambeau agitaba mientras paseaban y que, en aquel momento, estaba tieso junto a su alto pichel de Munich. Y es más: en el estado inconsciente de sus reflexiones deshilvanadas, se sorprendió mirando su famoso paraguas, transformado por su imaginación en la calva de un ogro que ilustraba las cubiertas de un libro infantil. Pero no llegó a concebir nada en forma de novela, como no fuera el cuento que sigue:

—No sé —dijo— si podríamos encontrarnos con verdaderas aventuras en un país como éste, en caso de que las buscásemos. Presenta un fondo magnífico para ellas, pero siempre me imagino que esta gente le acometería a uno con espadas de cartón más que con espadas de verdad.

—Está equivocado —replicó su amigo—. En esta ciudad no sólo se baten con espadas, sino que matan sin ellas. Y aún hay algo peor.

—¿Qué quiere decir? —preguntó el padre Brown.

—Diría que es ésta la única ciudad de Europa

en que se ha matado a un hombre de un tiro sin arma de fuego.

—¿Quiere decir un flechazo? —preguntó Brown, admirado.

—Digo de un tiro en la cabeza —replicó Flambeau—. ¿No sabe usted la historia del último príncipe de esta ciudad? Fue uno de los grandes misterios policíacos, hace cosa de veinte años. Ya recordará que esta plaza fue anexionada a la fuerza cuando se empezaron a llevar a cabo los proyectos de consolidación de Bismarck..., a la fuerza, sí; pero no tan fácilmente. El Imperio, o lo que deseaba serlo, mandó al príncipe Otto de Grossenmark a gobernar esta ciudad según el interés imperial. Hemos visto su retrato en aquella galería; un señor de edad que sería guapo si tuviera algún cabello o cejas y no estuviera encorvado como un buitre; pero le agobiaban las preocupaciones, como verá usted pronto. Era un militar de notable habilidad y éxito, pero no le fue cosa fácil someter a esta plaza de tan poca importancia. Quedó derrotado en varias batallas por los hermanos Arnhold, los tres patriotas guerrilleros a quienes Swinburne dedicó un poema que usted recordará:

*Lobos cubiertos con la piel de armiño,*
*monarcas que son cuervos coronados...*
*a todos estos despreciables bichos*
*habrán de resistir los Tres Hermanos.*

O algo por el estilo. Y no es seguro que la ocupación se hubiera realizado algún día con éxito de no ser porque, despechada y decididamente, uno de los tres hermanos, Paul, se negó a resistir por más tiempo a estos malos bichos y, descubriendo los secretos de la insurrección, aseguró la caída de la ciudad y su promoción al elevado cargo de chambelán del príncipe Otto. Después de esto, Lemis, el verdadero héroe entre los héroes de Swinburne, murió peleando en el asalto de la ciudad, y el tercero, Henry, que aunque no fue traidor, se había mostrado siempre sumiso o tímido al lado de sus hermanos, se retiró a una vida casi de ermitaño, convertido a un cristianismo contemplativo, y ya no se volvió a mezclar con los hombres, excepto para distribuir casi todo lo que poseía entre los pobres. Me han dicho que, hasta hace poco, aún se le veía a veces por las afueras, vestido de negro sayal, casi ciego, con una cabellera blanca muy crecida y descuidada y un semblante de sorprendente dulzura.

—Ya lo sé —dijo el padre Brown—. Una vez lo vi.

Su amigo le miró, sorprendido.

—No sabía que hubiera estado usted por aquí antes. Tal vez sepa todo esto mejor que yo. De todos modos, ésta es la historia de los Arnhold, y éste fue el último sobreviviente de todos los que tomaron parte en aquel drama.

—¿Quiere decir que el príncipe también murió hace tiempo?

—Murió —repitió Flambeau—, y esto es cuanto podemos decir. Ha de saber que hacia el final de su vida experimentó uno de esos desequilibrios nerviosos que tan frecuentes son entre tiranos. Multiplicó, de día y de noche, la guardia en torno al castillo, hasta el punto de que parecía haber más garitas de centinelas que casas en la ciudad, y los sospechosos eran fusilados sin contemplaciones. Se pasaba casi todo el día en una reducida habitación, en el centro del laberinto de todas las otras habitaciones, y aun dentro de aquélla se hizo construir una especie de cámara o armario forrado de acero, como un arca de caudales o un barco de guerra. Alguien dice que debajo de esta cámara había un hoyo abierto en la tierra lo suficiente ancho para contenerlo, de modo que en su ansiedad por evitar la tumba, caía en lo que más se le parecía. Pero aún fue más allá. Se daba por supuesto que el populacho había quedado desarmado después de sofocada la revuelta, pero Otto insistió luego, como muy raramente insisten los gobernadores, en que el desarme fuese absoluto. Se llevó a tal rigor y severidad esta cuestión del desarme por oficiales que tenían un servicio bien organizado en áreas reducidas, que si la fuerza y la ciencia humana pueden estar absolutamente ciertas de algo, el príncipe Otto estaba absolutamente cierto de que nadie podía introducir en Heiligwaldestein ni una vulgar pistola de juguete.

—La ciencia humana nunca puede estar completamente segura de una cosa así —dijo el padre Brown—, aunque no sea más que por la dificultad de la definición y connotación. ¿Qué es un *arma*? Se ha matado a la gente con los objetos más inofensivos, con teteras y hasta con tazas de té. Por otra parte, si enseña a un viejo bretón un revólver, dudo que conozca que es un arma, hasta que se le dispare, desde luego. Tal vez alguien introdujo un arma que no se parecía en nada a un arma de fuego. Acaso parecía un dedal, o algo por el estilo. ¿Ofrecía la bala alguna particularidad?

—Que yo sepa, no —contestó Flambeau—; pero no tengo más que noticias fragmentarias que me dio mi viejo amigo Grimm. Era un hábil detective del servicio alemán, que trató de detenerme y acabó todo deteniéndolo yo, y tuvimos charlas muy interesantes. Estaba aquí encargado de las investigaciones relacionadas con el caso del príncipe Otto, pero se me olvidó preguntarle nada sobre la bala. Según Grimm, lo sucedido fue lo siguiente.

Hizo una pausa para apurar de un trago la cerveza que todavía quedaba en el pichel, y continuó la interesante historia:

—Una noche se esperaba que el príncipe compareciese en una de las salas exteriores, donde le aguardaba cierta visita que deseaba recibir de veras. Eran los visitantes geólogos expertos, enviados para poner en claro el antiguo asunto sobre supuestas provisiones de oro procedentes de las montañas vecinas, sobre las que se decía que el pequeño Estado había podido mantener su crédito tanto tiempo, negociando con sus vecinos aún bajo el incesante bombardeo de un ejército muy superior. Hasta entonces, nada se había descubierto a pesar de las más exigentes investigaciones encaminadas...

—Encaminadas a adquirir la certeza absoluta de que no había entrado una pistola de juguete —interrumpió el padre Brown sonriendo—. Pero, ¿qué pasó con el hermano que hizo traición? ¿No tenía nada que decirle al príncipe?

—Siempre hizo protestas de que no lo sabía —replicó Flambeau—, de que aquél era el único secreto que no le había revelado su hermano. Y hay que decir que esto se conformaba a unas palabras vagas pronunciadas en la hora de la muerte por su hermano Lemis, cuando mirando a Henry, para señalarle a Paul, dijo: «No le has dicho...» y ya no pudo seguir hablando. Pues bien, como decía, la delegación de distinguidos geólogos y mineralogistas de París y Berlín esperaba, brillando de uniformes y condecoraciones, ya que no hay nadie que guste hacer más ostentación de estas cosas que los hombres de ciencia, como saben todos los que han asistido a alguna recepción de gala. Era una visita brillante por demás, pero, a última hora, el chambelán, cuyo retrato ha visto usted, un hombre de cejas negras y mirada grave sobre una sonrisa inexpresiva, el chambelán, digo, descubrió que todos estaban allí menos el príncipe. Lo buscó por todos los salones, sin encontrarlo, y recordando su manía de esconderse, fue a buscarlo a la habitación interior, que también estaba desierta. Le costó algún trabajo abrir la cámara acorazada, pero, al lograrlo, vio que también estaba vacía. Siguió mirando el foso abierto en el suelo como una tumba. Mientras esto hacía, oyó ruido y gritos en los salones y pasillos.

»Al principio le pareció el clamor confuso de una multitud fuera del castillo, luego creyó percibir exclamaciones más cercanas, que hubiera podido distinguir si las voces no se hubieran ahogado unas con otras, y por fin, le llegaron las palabras de una terrible claridad y entró un hombre dándole la noticia con el atropellado laconismo propio de las circunstancias.

Otto, el príncipe de Heiligwaldenstein y Grossenmark, yacía sobre la hierba de un sombrío bosque que se extendía detrás del castillo, con los brazos en cruz y la cara vuelta a la luna. Aún le manaba sangre de la mejilla y de un parietal, y era lo único que en él se movía como una cosa viva. Vestía su uniforme blanco y amarillo, como para la recepción; pero le habían desceñido la faja, que aparecía estrujada a su lado. Cuando lo levantaron estaba muerto; pero, muerto o vivo, resultaba un enigma que, quien vivía escondido para siempre en lo más recóndito del castillo, se hallase muerto en el sombrío bosque, indefenso y solo.

—¿Quién halló el cadáver? —preguntó el padre Brown.

—Una muchacha que vivía en la corte, llamada Edovigis von no sé qué —contestó su amigo—, que había ido al bosque a recoger flores silvestres.

—¿Y había recogido alguna? —preguntó el sacerdote, mirando como distraído el palio que formaban las ramas sobre su cabeza.

—Si —dijo Flambeau—. Recuerdo muy bien que el chambelán o Grimm o algún otro se refirió a la impresión de la tragedia que experimentaron cuando, al acudir a los gritos, hallaron a la muchacha con un manojo de flores inclinada sobre el cuerpo sangrante. De todos modos, lo importante es que, cuando llegaron, el príncipe estaba muerto y sólo transportaron al castillo su cadáver. La consternación que su muerte produjo sólo puede compararse a la que causa la caída de un potentado. Los extranjeros, que habían ido a visitarle, especialmente los mineralogistas, se mostraron tan confusos y excitados como muchos oficiales prusianos, y pronto empezó a hablarse de que el proyecto para dar con el tesoro era un negocio más trascendental de lo que la gente suponía. A expertos y oficiales se les había prometido cuantiosas sumas o ventajas internacionales, y aún hubo quien dijo que los departamentos secretos y la exagerada protección militar del príncipe obedecían más que al miedo al populacho al propósito de una indagación particular del...

—¿Tenían las flores largos tallos? —preguntó el padre Brown.

Flambeau se le quedó mirando.

—¡Qué hombre más raro es usted? Eso es precisamente lo que notó Grimm. Dijo que lo más feo de todo, más feo que la sangre y la bala, más feo que el mismo cadáver, eran aquellas flores, que parecían tronchadas por la cabeza.

—Claro —dijo el sacerdote—, cuando una muchacha mayor coge flores, procura hacerlo de modo que tengan el tallo largo. Cuando las coge arrancando sólo la cabeza como un niña, quiere decir... —Y dudó.

—¿Qué? —insistió el otro.

—Quiere decir que las ha cogido en un estado de excitación, como una excusa de su presencia allí después... bien, después de estar allí.

—No sé dónde va usted a parar —dijo Flambeau, con cara casi sombría—. Pero esa y otras sospechas se desvanecen ante el hecho de la falta de arma. Ya sabemos que lo podían matar de muchas maneras, hasta con su propia faja; pero no hay que explicar cómo lo mataron, sino cómo lo mataron a tiros. Sometieron a la muchacha a toda clase de investigaciones, y más teniendo en cuenta que se hacía un poco sospechosa, aunque era sobrina y ahijada del viejo chambelán, Paul Arnhold; pero, romántica como era, se hizo sospechosa de simpatía por el entusiasmo revolucionario de su familia. Pero, por romántico que uno sea, resulta imposible imaginarse una bala metida en el cerebro de uno sin que se haya utilizado una pistola o cualquier otra arma de fuego. Y en este caso no había pistola, pero había dos pistoletazos. A ver si lo entiende, amigo.

—¿Cómo sabe que había dos tiros?

—Sólo había uno en la cabeza, pero en la faja aparecía otro agujero de bala.

El padre Brown quedó un momento pensativo.

—¿Se encontró la otra bala? —preguntó.

Flambeau tuvo un movimiento de sobresalto.

—¡Hombre! Eso sí que no lo sé.

—¡Espere! ¡Espere! ¡Espere! —exclamó el padre Brown, dando muestras de interesarse cada vez más por el asunto—. No lo tome usted a mal, y déjeme reflexionar un momento.

—Está bien —dijo Flambeau, riendo y acabándose la cerveza.

Un ligero viento meció la copas de los árboles e impulsó unas nubecillas amarillentas y vinosas que aún hacían resaltar el azul del cielo y daban a todo aquel escenario de colores una apariencia más fantástica. Las nubes aquellas podían haberse comparado a querubines volando desde las murallas a las manciones celestiales. La más alta de las torres del castillo, la Torre del Dragón, se erguía tan grotesca como el pichel de cerveza y aun tan familiar. Detrás de la torre brillaba el bosque en que había caído muerto el príncipe.

—¿Y qué ha sido de esa Edovigis? —preguntó, por fin el sacerdote.

—Se casó con el general Schwartz —dijo Flambeau—. Sin duda habrá usted oído hablar de su carrera, que fue casi novelesca. Ya se había distinguido antes de sus hazañas en Sadowa y Gravelotte. Ascendió desde las primeras filas, cosa poco frecuente entre los alemanes humildes...

El padre Brown se irguió de súbito.

—¡Que ascendió desde las filas! —exclamó, haciendo una mueca como si silbara—. ¡Bien, bien, qué historia tan interesante! ¡Qué modo tan raro de matar a un hombre, porque supongo que no hay que pensar en que fuera otro! Ahora que odiar con tan enorme paciencia...

—¿Qué está diciendo? —preguntó Flambeau—. ¿De qué manera lo mataron?

—Lo mataron con la faja —dijo Brown, seguro de sí mismo. Y como Flambeau protestase, añadió—: Sí, ya sé lo de la bala. Acaso sería más exacto decir que lo mataron porque llevaba faja, que no es lo mismo que decir que murió de enfermedad.

—Supongo —advirtió Flambeau— que se habrá formado una idea, pero no es tan fácil descartar del asunto la bala. Como ya he dicho antes, podía haber sido estrangulado, pero el caso es que le pegaron dos tiros. ¿Quién le disparó? ¿Con qué?

—Le dispararon por sus propias órdenes —dijo el sacerdote.

—¿Así se suicidó?

—Yo no digo por su propia voluntad. Digo por sus propias órdenes.

—Sea como sea, ¿qué opina usted?

El padre Brown se echó a reír.

—Hoy me he dado fiesta —dijo— y no emito

opiniones. Pero esta ciudad me recuerda cuentos de hadas, y si quiere usted escucharme, le voy a contar uno que le gustará.

Las nubecillas coloradas, que parecían dulces, coronaban las doradas torrecillas del castillo de mazapán, y las cimas de los árboles se movían como manitas de niños para alcanzarlos; el cielo azul empezó a teñirse de violeta crepuscular, cuando el padre Brown comenzó su cuento.

«Una triste noche de lluvia, el príncipe Otto de Grossenmark salió apresurado por una puerta lateral del castillo y se encaminó a toda prisa al bosque. Uno de sus innumerables centinelas le saludó, pero él ni siquiera se fijó. Deseaba especialmente que nadie lo viera, y se sintió satisfecho cuando uno de los gigantescos árboles se lo tragó como si se hubiera metido en un pantano. Con toda la intención había elegido la salida del castillo menos frecuentada, pero aún lo estaba más de lo que era su deseo. No le movía ningún propósito profesional o diplomático, ya que su salida obedecía a un súbito impulso. Todos los diplomáticos, vestidos de gran gala, que dejaba atrás, carecían para él de importancia, pues, de pronto, se le había ocurrido que podía prescindir de ellos.

»Su gran pasión no era tanto el justificado temor de la muerte como un desordenado deseo de riqueza. Por la leyenda del oro había abandonado Grossenmark para invadir Heiligwaldenstein. Sólo por esto había comprado al traidor e inmolado al héroe, sólo por esto había sometido al falso chambelán a inocentes interrogatorios, hasta que llegó a la conclusión de que respecto a su ignorancia, el renegado decía la pura verdad. Por esto, aunque de mala gana, pagó y prometió enormes sumas a condición de que le descubriesen el tesoro, y por eso, en fin, salió como un ladrón de palacio en una noche de lluvia, pues pensaba en otro medio para obtener el objeto de sus ansias, y obtenerlo a poco precio.

»Lejos, en la cumbre de una montaña escarpada, adonde dirigía sus pasos, entre rocas amontonadas sobre precipicios colgados sobre la ciudad, estaba la ermita, que apenas era más que una caverna cercada de espinos, donde el tercero de los hermanos se mantenía desde tanto tiempo apartado del mundo. Pensaba el príncipe Otto que aquel hombre desprendido no tenía razón en qué fundarse para negarle el secreto del oro; sabía dónde estaba guardado y no había hecho nada para encontrarlo, aun antes que su decisión de entregarse a una vida ascética le hubiera hecho renunciar a los placeres y a sus bienes. Cierto que había sido un enemigo, pero ahora profesaba un credo que no le permitía tener enemigos. Cualquier concesión a su causa, cualquier aplicación a sus principios, sería bastante para arrancarle el secreto. Otto no era un cobarde, a pesar de sus precauciones militares, en todo caso, su avaricia era más fuerte que su miedo. Tampoco tenía entonces grandes motivos para temer. Seguro de que ningún paisano tenía armas en su principado, aún lo estaba mucho más de no encontrarlas en la pobre ermita que ocupaba aquel asceta en la cumbre; donde vivía de hierbas, en compañía de dos criados tan viejos como rústicos, y sin otra voz humana que la de ellos durante años y años. El príncipe Otto se volvió a mirar al laberinto de calles alumbradas que formaban la ciudad bajo él, y pensó que hasta donde alcanzaba su vista se extendían los fusiles de sus amigos y no podría encontrarse ni un grano de pólvora en poder de sus enemigos. Los fusiles estaban tan cerca aún de la ruta que él seguía por la montaña, que bastaría un grito para que los soldados ocupasen aquellas alturas, para no decir que el bosque y sus alrededores eran vigilados a regulares intervalos por destacamentos de fuerza armada. Había tantos fusiles en el bosque, en el río y en los contornos de la ciudad, que nadie podía entrar sin ser detenido. Y en el castillo, fusiles ante las cuatro puertas y ante las cuatro fachadas. Estaba, pues, bien seguro.

»Cuando llegó a la cima, donde había más claridad, vio lo desnudo que estaba el nido de su antiguo enemigo. Se halló ante una pequeña plataforma rocosa abierta sobre los tres ángulos del precipicio. Detrás estaba la cueva, disimulada tras maleza verde y, tan baja, que parecía imposible que por allí pudiera entrar un hombre. Enfrente se precipitaban los riscos y se tenía del valle una vista de pájaro. En la rústica plataforma se levantaba un viejo atril o facistol de bronce que gemía bajo el peso de una enorme Biblia alemana. El bronce o cobre del instrumento se había llenado de verdete con los aires devoradores de aquellas alturas, lo que hizo pensar a Otto: "Aunque tenga armas, deben estar ya herrumbrosas." La luna bañaba de una luz mortecina los peñascales y la lluvia había cesado.

»Detrás del atril y mirando al valle había un anciano que vestía un sayal negro, tan andrajoso y gastado como aquellos riscos, pero cuyo cabello blanco y débil voz ondulada por el viento. Era evidente que recitaba su lectura diaria como parte de sus ejercicios religiosos. "Ellos confían de sus caballos...

»—Señor —dijo el príncipe de Heiligwaldenstein, con inusitada cortesía—, desearía hablar un momento con usted.

»—... y sus carros— continuó el anciano, débilmente—, pero nosotros confiamos en el nombre del Señor de los Ejércitos..."

»Sus últimas palabras no pudieron oírse, pero cerró el libro devotamente y, aunque casi ciego, movió sus manos a tientas y agarró el atril. Al momento salieron los dos criados de la caverna y lo sostuvieron. Llevaban batas negras y toscas, como su señor, pero no tenían la blancura de sus cabellos ni la finura de sus facciones. Eran campesinos, croatas o magiares, de cara ancha y ojos fulgurantes. El príncipe siguió el primer momento de turbación, pero mantuvo firme su valor y se sintió diplomático.

»—Creo —dijo— que no nos hemos vuelto a ver desde aquel horrible bombardeo en que murió su desgraciado hermano.

»—Todos mis hermanos murieron —dijo el anciano, con la vista en el valle. Luego volviendo un momento a Otto sus cansadas y finas facciones y la nieve de sus cabellos que le caían por las sienes como carámbanos, añadió—: Ya ve que también yo estoy muerto.

»—Espero que comprenderá —dijo el príncipe, frenándose hasta el punto de buscar una fórmula conciliadora— que no he venido aquí a perseguirle, como un mero fantasma de esas grandes enemistades irreconocibles. No hablemos de quién tenía razón y quién obraba mal en esto, pero al menos había un punto respecto al cual nosotros nunca nos equivocamos, pues usted siempre obró con rectitud. Dígase lo que se quiera de la política de su familia, nadie puede pensar por un momento que a usted le moviese la sed de oro. Ha dejado usted probado por encima de todas las sospecha que...

»El viejo que había permanecido hasta entonces de cara a él con expresión de inteligencia en sus vidriosos ojos, extendió de pronto sus manos como si quisiera detener algo y volviéndose de cara a la montaña dijo:

»—Ha hablado de oro. Ha hablado de cosas ilícitas. Hacedle callar.

»Otto tenía el vicio de su carácter prusiano y de sus tradiciones, que consideran el éxito no como un incidente, sino como una cualidad. Tenía de él y de los suyos el concepto de conquistadores perpetuos de pueblos que perpetuamente habían de ser conquistados. Por tanto, no contaba con la sorpresa ni estaba preparado para lo que ocurrió. Iba a abrir la boca para contestar al ermitaño, cuando la boca se le quedó inmóvil y la voz ahogada por una fuerte y fina mordaza que se le enroscaba a la cabeza como un torniquete. Tardó medio minuto en percatarse de que los dos criados húngaros lo habían amordazado con su mismo fajín de militar.

»El anciano volvió pesadamente la Biblia, pasó las hojas con una paciencia que causaba horror, hasta que llegó a la Epístola de Santiago y se puso a leer: "La lengua es un miembro pequeño, pero..."

»Aquella voz impresionó al príncipe de tal manera, que se volvió súbitamente y echó a correr montaña abajo. Ya estaba a mitad de camino hacia los jardines de su palacio cuando trató de desatar aquella faja que lo estrangualaba y lo sofocaba. Lo intentó una y otra vez y le fue imposible. Los que le habían puesto aquella mordaza sabían la diferencia que existe entre lo que puede hacer un hombre con sus manos por delante de su cabeza y lo que puede hacer por detrás. Tenía los pies libres para brincar como un antílope por la montaña, tenía los brazos libres para moverlos y hacer cualquier señal; pero no podía hablar. Un diablo mudo lo poseía.

»Llegó al bosque que se extendía hasta el castillo, antes de comprender realmente lo que significaba su estado de mudez y las consecuencias que podía tener. Miró a la ciudad alumbrada y ya no sonrió, porque pensó que hasta donde la vista podía alcanzar estaba cuajada de fusiles, que se dispararían si no podía contestar cuando le diesen el alto. Estaban tan cerca los fusiles, que a regulares intervalos cruzaban el bosque destacamentos de fuerzas armadas. Por tanto, era inútil permanecer oculto en el bosque hasta la mañana. Los fusiles acordonaban la ciudad tan estrechamente, que nadie podía entrar en ella sin ser detenido, y por consiguiente, era inútil tratar de volver a ella dando un rodeo. Un grito atraería a los soldados, que correrían por la montaña en su auxilio. Pero le era imposible lanzar un grito.

»La luna se había levantado bañando la noche de plata y entre los celajes del bosque brillaba más claro el azul del cielo. Se ofrecieron de pronto a su vista flores que a la luz de la luna adquirían formas fantásticas y descoloridas, y en las que nunca antes se había fijado. Se arracimaban entre las raíces de los árboles y trepaban bellamente por los troncos. Acaso en la cautividad parcial a que se veía sometido vaciló sin razón, el caso es que en el bosque se sintió impresionado por un efecto insondablemente germánico: el cuento de hadas. En la ofuscación de su razón se veía caminando hacia el castillo de un ogro que estaba muy cercano. Había olvidado que, en todo caso, él mismo era el ogro. Recordó haber preguntado a su madre si había osos en el parque de su casa. Se detuvo a coger una flor, como si hubiera esto de servirle de conjuro contra el encantamiento. El tallo ofreció más resistencia de la que esperaba y se rompió con un fuerte crujido. Estaba tratando de ponérsela cuidadosamente en la faja cuando oyó el grito de "¿Alto, quién vive?", y entonces recordó que no llevaba la faja en su lugar de costumbre.

»Quiso gritar y se quedó mudo. La segunda voz de alto sonó más fuerte, y en seguida retumbó un disparo y el zumbido de una bala quedó cortado por el impacto. Otto de Grossenmark yacía pacíficamente entre hermosas flores, y ya no podría perjudicar a nadie con oro o con acero; sólo el lápiz de plata de la luna iba dibujando el intrincado ornamento de su uniforme y las arrugas de su frente. ¡Que Dios se apiade de su alma!

»El centinela que había disparado de acuerdo con las estrictas órdenes de la guarnición, corrió, como puede suponerse, en busca de alguna huella de su presa. Era un soldado de filas llamado Schwartz, hasta entonces hundido en el olvido, y encontró un anciano calvo vestido de uniforme y con el rostro tan vendado con una especie de antifaz hecho con su propio fajín que nada podía verse de su cara más que los ojos abiertos que brillaban a la luz de la luna. La bala se le había hundido en la mejilla atravesándole la mordaza; por eso se encontró un agujero en su fajín, aunque no recibió más que un balazo. No hay que decir, que, como le fue posible, el joven Schwartz le quitó la misteriosa máscara de seda y la tiró a la hierba, y entonces conoció al que había herido.

»De lo que luego aconteció no hay nada cierto, pero me inclino a creer que en aquel bosque tuvo lugar un cuento de hadas tan espantoso como las circunstancias. Acaso nunca sabremos si la muchacha Edovigis conocía ya al soldado a quien salvó y con quien luego se casó o si por casualidad se encontró en el lugar del suceso y fueron novios desde aquella noche. Pero podemos imaginarnos a Edovigis como una heroína digna de contraer matrimonio con el joven que de cierta manera se convirtió en un héroe. De ella salió la audaz y prudente idea. Ella persuadió al centinela a volver a su puesto, para que nadie pudiera sospechar que tuviese ninguna relación con la desgracia; tanto menos, cuando que era uno de los más leales y cumplidores de los cincuenta centinelas que rodeaban el castillo. Ella permaneció al lado del cadáver y dio el grito de alarma, y nadie sospechó de una muchacha que no llevaba ningún arma de fuego ni sabía manejarla.»

—Bien —dijo el padre Brown, levantándose con aire de alegría—, supongo que son felices.

—¿Dónde va usted? —preguntó su amigo.

—Voy a echar otro vistazo al retrato del chambelán, el Arnhold que traicionó a sus hermanos —contestó el sacerdote—. Quisiera saber... quisiera saber si un hombre es menos traidor cuando lo es dos veces.

Y permaneció largo rato ante el retrato de un anciano de cabello blanco con cejas negras y la pincelada de una sonrisa que parecía contrastar con la negrura torva de sus ojos.

FIN

# ÍNDICE

**ESTIMADO LECTOR,**

tal vez este libro ha sido de su agrado, y le gustaría recibir información de otras obras de nuestro catálogo.

Arranque esta hoja (el ejemplar no se estropeará) y, una vez rellenado el dorso, enviénosla al «Departamento de Publicidad» de

**Plaza & Janés, S. A. Editores**
**Virgen de Guadalupe, 21-33**
**Esplugas de Llobregat (Barcelona)**

Su nombre y los que tenga la amabilidad de facilitarnos, quedarán anotados para el envío regular de catálogos, folletos, boletines e información de nuestros libros. Y también para participar en los sorteos de libros que efectuamos periódicamente.

**Ello no le obliga a compra alguna**

Es una pequeña atención por la molestia que se toma al apoyar la difusión de nuestros libros, por lo que de antemano le damos las gracias.

PLAZA & JANES, S. A.
EDITORES

El fondo literario más extenso e importante en lengua castellana

Nombre y apellidos: ........................................................................ Edad: .........

Dirección postal: ..................................................................................................

Géneros preferidos: (subráyelos)

- Novela psicológica, costumbrista
- Literatura clásica
- Literatura de evasión aventura, intriga, fantasía científica
- Biografía
- Historia
- Religión, moral
- Temas de actualidad política
- Viajes
- Divulgación científica, artística
- Humor

Personas de mi círculo interesadas en la lectura:

Nombre y apellidos: ........................................................................ Edad: .........

Dirección postal: ..................................................................................................

Nombre y apellidos: ........................................................................ Edad: .........

Dirección postal: ..................................................................................................